动物小说大王沈石溪
·感悟生命书系·

五彩龙鸟

WU CAI LONG NIAO

典藏版

沈石溪◎著

童趣出版有限公司编　人民邮电出版社出版
北　京

\序 言\

爱是生命进化的能量

沈石溪

《五彩龙鸟》是我迄今为止唯一写过的有关远古动物的长篇小说。

我对古生物的兴趣由来已久。读小学三年级时，我就迷上了恐龙，还收藏了厚厚一本介绍各种各样恐龙的图册。看着这些曾经统治地球的庞然大物，我总会想一个问题：这些横行霸道的家伙，这些处在大自然食物链顶端的超级动物，为什么会突然灭绝，从而变成了考古学家研究的化石了呢?

关于恐龙灭绝的原因，科学家众说纷纭。

有人认为，六千万年前有一颗巨大的陨星撞击地球，相当于爆炸了两万枚氢弹，强大的冲击波和遮天蔽日的放射性物质，使绝大多数物种死于非命，恐龙就是在这场灾难中灭绝的。

有人认为，地球具有寒暑周期，白垩纪的气候突然变冷，冰川就像白色恶魔，吞噬了大片植被，树木枯萎，牧草消亡，食草恐龙因食物严重匮乏而纷纷倒毙，由此而产生的连锁反应，让食肉恐龙也变成冰川雪域的一具具尸体。

有人认为，在那个时期，地球上生长着一种恐龙特别爱吃的植物，这种植物类似于罂粟，具有某种让食用者上瘾的生物碱，而这种生物碱能杀死雄性恐龙的精子，就相当于特效避孕药，结果，整个恐龙家族的生育行为停止了，只有死亡，没有新生，恐龙这个物种当然也就被无情地淘汰了。

……

到目前为止，关于恐龙的灭绝，仍然是个谜。

但科学家有个最新发现——庞大的恐龙家族虽然灭绝了，不过恐龙家族中有一个最弱小的分支，却躲过了六千万年前的灭顶之灾，成功地活到现在，那就是在天空中自由飞翔的鸟类！

解剖学上的发现证明，鸟类就是恐龙的后裔。

据推测，现代的鸟类，在恐龙时代，是恐龙大家族中最不起眼的小不点儿。如果把梁龙比喻为巨人的话，那后来进化成鸟类的恐龙分支，就是谁都瞧不起的侏儒。可以想象，那些懦弱的小不点儿，命中注定是各种食肉恐龙捕食的对象，就好像大自然盛宴中一道精美的甜点心，谁都想来咬一口。它们东躲西藏，在夹缝中求生存，整日提心吊胆，处境艰难，活得很累。

究竟是什么原因，使得恐龙大家族中最弱小的一个分支——今天的鸟类，能在六千万年前这场对恐龙家族来说万劫不复的大灾难中存活下来呢？

持“陨星撞击说”的科学家认为，这些小不点儿因为身体瘦小，当陨星撞击地球后，发生大爆炸时，它们就及时钻入岩穴里或地洞里，等到尘埃落定，灾难过去后，它们再从岩穴里或地洞里钻出来，从而躲过了放射性物质的侵害。

持“地球寒冷说”的科学家认为，这些小不点儿因为体形小，维持生命所需的热量也少，当冰川袭来天寒地冻时，它们就躲在高海拔的山洞里，只需少量的食物便能延续生命，所以存活的概率比那些庞然大物要大得多。

持“繁殖中断说”的科学家认为，恐龙家族中的庞然大物凭借武力，蛮横地霸占了那些会杀死雄性精子的植物，而后来进化成鸟类的小不点儿们，虽然也对该植物感兴趣，却因为体小力弱，无法与巨型恐龙竞争，只好躲在一边偷偷地流口水，结果，因祸得福，从而避免了自己的种族衰灭。

为什么强者灭绝而弱者兴盛？这是一个一直没有确切答案的千古之谜。

我喜欢猜谜，而且喜欢另辟蹊径，寻找离经叛道的谜底。

我阅读了大量有关恐龙的书籍，发现了一个有趣的现象，绝大多数恐龙的脑袋与身体简直不成比例！越是超级恐龙，脑袋与身体的比例越是悬殊。以梁龙为例，成年梁龙的体重达三十吨以上，而梁龙的脑袋只有一百公斤，二者的重量比约为300：1。这一百公斤的脑袋还包括耳朵、鼻子、嘴巴、舌头和牙齿的重量。而梁龙真正的大脑仅重一百多克。人的脑袋与人的身体的重量比大约是1：20；棕熊的脑袋与棕熊的身体的重量比大约是1：50；大象的脑袋与大象的身体的重量比大约是1：35。用“四肢发达，头脑简单”来形容这些恐龙，是最恰当不过了。就物种而言，脑袋小，便意味着脑功能弱。众所周知，大脑是生物体的感觉、语言、思维和情感的载体。毫无疑问，绝大多数恐龙感觉迟钝，无法与同类进行交流和沟通，思维僵化，情感区域更是一片荒漠。事实也的确如此，据专门从事恐龙研究的专家介绍，越是大型的恐龙，其感觉系统越是有问题。还是以梁龙为例，假如它的脚被荆棘划破了，大约10秒钟后，它的大脑才会产生疼痛的感觉。

对恐龙来说，它们生活在一个不需要用脑子的时代。恐龙在地球上称王称霸、所向披靡，不用脑子也过得很好，那又何必去用脑子呢！觅食只需要强壮的身体。事实上，用脑子挺累的，动脑要消耗体力，感觉敏锐了就免不了要多愁善感，与同类交流沟通，也免不了会钩心斗角、尔虞我诈，弄出许多是是非非来。思考更是一件得不偿失的事，问题想多了会神经衰弱、体质下降，一旦身体虚弱，它们捕猎便会遭遇困难，这完全不利于生存。至于情感，那更是一种奢侈品，或者说是一种有百害而无一利的东西，有了情感便有了牵挂，有了牵挂便不再无忧无虑、无拘无束，情感往往是生活中的累赘和生存道路上的羁绊。

可以毫不夸张地说，在亘古蛮荒时代，脑袋越小，生存空间越大，脑子越糊涂，活得就越开心。

与绝大多数恐龙不同的是，后来进化成鸟类的小不点儿们，虽然也是恐龙家族中的成员，但不同的是，这些小不点儿们的脑袋与身体的重量比约为50：1。这在恐龙大家族里是绝无仅有的，在当时极有可能被其他恐龙视为怪物和异类。人们解剖现代鸟类时发现，凡是能在天空翱翔的鸟，脑袋与身体的重量比一般均为30：1。在恐龙生活的时代，动物们比拼的是身体而不是脑子，脑大身小的动物绝对是受嘲弄、受欺凌、受侮辱、受迫害的倒霉鬼。看起来，它们仿佛是造物主的败笔。更让它们伤心的是，它们不仅脑袋奇大，感觉也特别敏锐。它们一旦受伤，就会立刻感到疼痛，危险一旦来临，它们便会害怕得发抖。它们的情感世界更是复杂得要命。更致命的是，它们繁殖的第一个环节似乎就有问题。众所周知，恐龙是卵生动物，也就是雌恐龙产下恐龙蛋，然后再由恐龙蛋孵化成小恐龙。恐龙家族中的绝大多数成员，采用的是“天然孵化法”，即雌恐龙找一块温度适宜、地点隐蔽、质地松软的沙土，将蛋产在里头，然后就扬长而去，恐龙蛋只需要依靠太阳光的热量便能孵化出小恐龙。小恐龙一出世就会奔跑觅食。这种“天然孵化法”的优点是：雌恐龙无须为繁殖承担风险，也不必为养育小恐龙而劳心费神，只要将蛋产出就算完成了繁衍生命的全部任务，雌恐龙产完蛋后该干什么就干什么去，轻松自在，优哉游哉，小恐龙的生死祸福一概听天由命，雌恐龙无须牵挂，也无须关怀。这样，雌恐龙活得就很潇洒，它可以立刻进行下一次发情交配，产下另一窝蛋。采用这样的繁殖方法，会使得种群的繁殖速度很快，生育成本极低。而后来进化成鸟类的小不点儿们，不知道是哪根脑神经搭错了，产下蛋后竟然舍不得扬长而去，而是日夜守护在这些宝贝蛋的旁边，还用自己的胸脯来焐蛋，就像现代所有鸟类那样，用自己的身体代替太阳光来进行孵化。这样不仅耗时、费神，而且长时间地趴在一个地方孵蛋，也大大增加了个体遇害的危险性，极有可能被天敌连雌恐龙带蛋一窝端了。当小恐龙出壳后，有的连眼睛也睁不开，脆弱得站也站不起来，它们需要雌恐龙的悉心喂养和照顾才能活下来。这些小恐龙总是形影不离地跟随着雌恐龙，雌恐龙也时时刻刻牵挂、惦记着小恐龙，整个喂养周期短则两个月，长则半年有余。在此期间，雌恐龙所有的心思都在小恐龙身上，无暇顾及其他，不再有兴趣择偶交配，种群的繁殖率自然也就降低了。这种黏黏糊糊的感情，还有一个弊端，那就是会增加雌恐龙和小恐龙遇害的概率。小恐龙离开雌恐龙活不了，一旦雌恐龙发生意外，小恐龙必死无疑；同样的道理，雌恐龙把浓烈的情感投注在小恐龙身上，一旦小恐龙夭折，雌恐龙便会悲恸欲绝，心理遭受巨大创伤。

比较起来，这些小不点儿身上，确实有许多令人遗憾的缺陷。就连它们自己，也一定会因自身的不合时宜的种种行为而感到苦恼与失望。

命运真的很难捉摸，谁也想不到，一亿多年前，当地球发生灾变时，不可一世的雷龙、剑龙、跃龙等巨型恐龙成了生命舞台上的匆匆过客，而处在大自然食物链末端的那些卑微的小不点儿，却成功地躲过了劫难，在生命舞台上扮演着永不衰败的辉煌角色。

强大的未必是永久的，弱小的未必是短暂的。

这就是生命进化的辩证法。

看起来的某种缺陷，也许就是生命进化的契机，也许就是特殊才能的“导火索”，也许就是成就事业的一块跳板。

我觉得，恐龙灭绝和鸟类新生的这段地球生命演化历史，对现代人的生活，尤其对处在经济转型期的中国来说，仍具有重要的警醒作用。

假如善良是缺陷，假如诚实是错误，假如俭朴是罪过，假如温情是弱点，假如同情心和正义感是走了一步臭棋，假如人人都变成茹毛饮血的野兽，要一大堆财富又有何用呢?

对生命来说，绿洲非常重要，郁郁葱葱的绿洲，滋润生命，养育生命，庇护生命，绿洲是生命的摇篮。假如绿洲消失，大地一片荒漠，生命也将随之消亡。保护生态环境已成为全人类共同的事业。退耕还林，退耕还草，保护绿洲，防治荒漠化，已成为当务之急。其实，还有另外一种绿洲，也亟待保护，那就是人类精神生活中的绿洲。亲情与友情，广义上的爱，就是我们精神生活中的绿洲。如果这块绿洲也消失了，那么生命就会枯萎死亡。这绝非危言耸听，在精神建设方面，我们也要刻不容缓地实施返璞归真的重建工程。

苦难进化智慧，悲痛催生灵感，感情净化灵魂，爱是最宝贵的、不可替代的生存技能!

\ 目录\

楔　子

故事发生的地质年代是中生代侏罗纪，距今一亿多年。故事发生的地点是中国辽西地区。一亿多年前的辽西地区，因陆相地层连续沉积，气候温暖，植被繁茂，河流纵横交错，湖泊星罗棋布，火山爆发频繁，都给生物的发生、发展创造了得天独厚的生态环境。毫不夸张地说，当时的辽西地区，是各类生命繁育、毁灭、演化、突变的一个壮丽恢宏的舞台。故事中有两个主人公，一个叫澄，一个叫岫，它们都属于长着双弓型头骨的槽齿类爬行动物。那个时候，人类还没有出现，而是由众多的爬行动物主宰世界。双足行走的裸猿——人类，要到一亿多年以后才姗姗来迟地出现在这颗蔚蓝色的地球上。

第一章　灾难来临

澄用前爪小心翼翼地拨开楔羊齿的叶子，从茂密的灌丛里伸出脑袋，用警惕的眼光盯着喀纳贝湖。此时，明媚的阳光照耀大地，微风吹拂，湖面金波粼粼，澄没看见巨大的腕龙，它再用目光仔细地搜索湖畔附近的杂草地，也不见虾蟆龙恐怖的身影。澄这才壮起胆子倏地蹿出灌丛，用最快的速度奔到湖边，猛吸了几口水，润一润渴得快要冒烟的嗓子，然后蹚进浅水区，寻找一种名叫弓鲛的小鱼来填饱肚子。

也难怪澄要如此谨慎。它体长不足一米，体重不过二三十斤，体形瘦削，细皮嫩肉，既没有尖爪利牙可以与天敌抗衡，也不像曲颈龟那样有坚硬的龟壳可以保护自己，在侏罗纪爬行类家族中，它的种族属于最弱小一族，堪称袖珍品种。在那个年代，空气中到处弥漫着血腥味，整个世界完全受“弱肉强食”这条自然法则的支配，大欺小，大吃小，弱小就意味着被欺凌、被吃掉。众多的爬行类动物，都把澄的种族视为自己的美味佳肴。对于澄而言，到处都是刽子手，太恐怖了，所以它只能整日躲在湖边茂密的灌丛里提心吊胆地过日子，实在渴极了、饿极了，还得像贼似的溜到湖边喝口水，找些鱼虾充饥。

弱者的生存法宝就是谨慎，谨慎，再谨慎。

一条胖墩墩的弓鲛，扭动柔软的身体，在水藻间游动。这是一种软骨鱼，游动时身体弯得像张弓，因此而得名。它的肉质肥嫩鲜美，入口即化，因此猎食者不用担心会被鱼刺卡住喉咙。澄的牙齿不锋利，无法嚼碎其他鱼类坚硬的鱼骨，所以特别喜欢吃像弓鲛这样的软骨鱼。澄照准了这条弓鲛猛扑过去，平静的湖面顿时爆出了一朵硕大的水花。遗憾的是，这条弓鲛似乎特别狡猾，澄的嘴刚伸到水里咬它时，它突然把身体弓起来，啪地来了个急转弯，从澄的唇齿间溜走，逃进两块礁石间的一条缝隙里。那缝隙既深且窄，澄的身体根本挤不进去，它只能把前肢伸进水缝里抠抓，爪尖勉强能触摸到弓鲛那滑溜溜的尾巴，却无法将弓鲛从缝隙里揪出来。澄已经整整一天没吃东西了，肚子早就饿得咕咕叫了，它可不愿就这么放弃这顿已到嘴边的美餐。它拼命地用前肢鼓捣，将湖水搅得稀里哗啦的，希望能将这条躲藏在缝隙里的弓鲛驱赶出来，但弓鲛却像水蛭一样紧紧贴在缝隙底端的礁石上，任澄怎样折腾，就是不肯游出来……

就在这时，澄灵敏的耳朵听到背后传来了轻微的踩水声，它心头陡地一紧，赶紧扭头望去，不看不知道，看了魂吓掉！原来在它身后十多米远的地方，有一只身上挂满水藻的虾蟆龙，正瞪着突鼓的大泡眼，蹑手蹑脚地向它逼近。

虾蟆龙属于侏罗纪的两栖类小型食肉恐龙，生活在湖泊或沼泽地带。虽说是小型恐龙，但与袖珍型的澄的家族相比，它们的个头仍要大出两倍。更可怕的是，虾蟆龙似乎有偏食的毛病，特别喜欢吃澄的家族，只要一见到澄的家族，它们就会像野兽见到血一样，疯狂地追上前去追逐、捕杀。

澄当然明白，眼前这只身上挂满水藻的虾蟆龙踩着清晨的阳光向它走来，绝不会是要礼貌地向它道声“早安”，而是想把它当一顿可口的早餐吞进肚里去。来者不善，善者不来，它与这只虾蟆龙的关系是被吃与吃的关系，澄现在唯一的应对办法就是逃跑。它急忙从水缝里缩回前爪，狂奔乱跳，向岸上逃命。虾蟆龙尾随追撵。

澄是陆上爬行动物，虾蟆龙是两栖类动物。虽然它们目前是在浅水区，水深只及澄的腹部，但只要是在水里，虾蟆龙就要比澄自在得多，也灵活得多。虾蟆龙那长着半截蹼的爪子稳稳踩在水底鹅卵石上，飞快地向澄追来。转眼间，双方的距离只有一步之遥了。换句话说，澄离死神也仅有一步之遥了。这个时候，澄离最近的岸边也还有二三十米。它心里懊悔极了，千不该万不该，自己不该为贪图口福而丧失了警觉，如果早知道会发生“螳螂捕食，黄雀在后”这样的悲剧，自己就应该及时放弃捕捉那条弓鲛了。唉，世界上是没有后悔药可吃的，现在想什么都没有用了。

虾蟆龙嘴里那股腥臭的热气已经喷吐到澄的尾巴上了，那是死亡的气息，顶多再过两三秒钟，澄就会落入虾蟆龙张开的大嘴里。澄虽然身躯娇小，但却是长着双弓型头骨的槽齿类爬行动物，而在地质时期的中生代，双弓型头骨意味着大脑进化较快，这样的脑部结构算得上是那个时代的智慧生物，所以就比一般爬行动物要聪明些。就在虾蟆龙快咬到澄的尾巴的一瞬间，澄急中生智，突然来了个急拐弯。虾蟆龙的脑袋可不够聪明，它丝毫没想到澄会玩金蝉脱壳的把戏，在惯性的作用下，它又向正前方冲出去两米多远，等它发现上当受骗了，又怒气冲冲地转身来追，这么一耽搁，双方的距离又拉开了四五米远。清澈的喀纳贝湖上，水声喧嚣，湖中正上演着一场生死角逐。离湖岸只有十多米远了，在求生意念的刺激下，澄竭尽全力狂奔。只要逃到岸上，它的奔跑速度就能超过虾蟆龙；只要钻进湖畔茂密的灌丛中，它就有活下去的希望。

恼羞成怒的虾蟆龙很快又把彼此的距离缩短到咫尺之间。这一次，虾蟆龙吸取了教训，不再傻乎乎地闷头猛追，而是左右小幅摆动像舵一样的大尾巴，灵活地调控方向，这样就能提防澄再突然玩急转弯的把戏。

数秒钟后，虾蟆龙臭烘烘的大嘴又触碰到了澄短小的尾巴，留给澄的时间已经不多了，可湖岸却还在七八米开外的地方。在平时，七八米的距离对澄来说，三蹿两跳即可到达，但在这生死攸关的危急关头，却成了可望而不可即的漫长路程。要想成功逃上岸去，看来是不可能了。突然，澄看见就在前面两步远的地方，有一块巨大的礁石，礁石底端连接水面的地方，有一个黑黢黢的石洞，洞口呈椭圆形，直径约半米。澄来不及多想，紧跑两步，一头扎进了洞里，这可是它命悬一线时唯一的逃生机会了。它希望这是一个长长的地洞，一个洞口在喀纳贝湖礁石底下，另一个洞口在岸上某处灌木丛里。洞口直径半米，它娇小的身躯完全可以在里头自由爬行，但这个直径长度对体型比它大两倍的虾蟆龙来说，虽然也能钻进来，却显得有点儿拥挤了。如果真是这么一个湖与岸两头贯通的地洞，澄便有绝对的把握逃出魔爪、躲过此劫。退一步讲，假如这不是一个贯通湖与岸的长长的地洞，澄也希望这是一个口大腹小、里面较深的洞，那它就能钻进狭窄的洞底藏起来，而比它肥胖得多的虾蟆龙却无法挤进来抓它，澄就能像刚才从自己爪下逃脱、钻进礁石间缝隙里的那只弓鲛一样，得到死里逃生的机会。

澄一头扎进黑暗的洞，心急火燎地往前蹿。咚！它的脑袋重重地撞在一块石头上，撞得眼冒金星。它顾不得疼痛，急忙又向左右两侧冲，结果完全一样，四周都是坚硬的石头，它睁大眼睛望去，原来自己钻进了一个深不足三米的浅浅的石洞，除了澄刚刚钻进来的那个洞口，没有第二个出口。

这个时候，洞口明亮的光线突然被挡住了，虾蟆龙那肥胖的身体堵在了洞口，它把丑陋的脑袋伸进洞来，不怀好意地盯着不知所措的澄，嘴角还漾起了一丝奸笑。

澄懊悔得都想咬掉自己的尾巴了。原本想钻进洞里逃生的，却误入了这样一个墓穴般的死洞，早知道会这样，它就不该冒冒失失地钻进这个洞来，而应该继续往岸上狂奔，或许还能侥幸找到一条生路。现在，唯一的出口被虾蟆龙堵死了，澄上天无路，入地无门，顿时陷入了绝境。

借着虾蟆龙身体与洞口之间那条狭窄的缝隙漏进来的微弱光线，澄看见，虾蟆龙嘴角流下几缕口水，嘴巴慢慢张开，露出了两排狰狞恐怖的牙齿，两条粗壮的前肢微微弯曲，突鼓的泡眼里透出一股杀气。澄明白，虾蟆龙就要发起致命的扑咬了，自己的生命已进入读秒的倒计时阶段。它趴在洞内一动不动，因为它明白，自己与虾蟆龙的力量对比太悬殊了，一切抵抗都是徒劳的，既然死亡已不可避免，那就让死亡来得更快些，这样起码可以缩短临死前的恐怖与痛苦。

它闭起眼睛，静静等待着。

就在这个时候，天空中突然亮起一道比闪电还要耀眼一万倍的光亮。虽然澄是藏在一个不足三米深、积着一层湖水的石洞里，虽然虾蟆龙肥胖的身体堵得洞口只留出一条狭窄的缝隙，但澄还是被强烈的光亮刺得睁不开眼。让它感到无比恐惧的是，那光亮如此强烈，堵在洞口的虾蟆龙刹那间变得如玻璃般透明，澄眯起眼睛就能清晰地看到对方体内跳动的心脏和流动的血液。紧接着，洞外传来了一声惊天动地的巨响，那声音比霹雳声还要响一万倍，震得大地剧烈颤抖。森林着火了，烈焰把天空烧得通红。更让澄万分恐惧的是，天气突然变得燥热难忍，温度直线上蹿，周围石头散发出巨大的热量，刚才还凉凉的湖水骤然间也变得温热，继而又变得热气腾腾的。澄闻到一股刺鼻的焦味，哦，是那只堵在洞口的虾蟆龙，虽然它还瞪着突鼓的泡眼，还是一副龇牙咧嘴、急于捕杀的模样，但却早已气绝身亡。它那伸进洞内的脑袋还完好无损，可是暴露在洞外的屁股已被烧成焦炭。

温度越来越高，小小的石洞闷热得就像坐在火炉上还没揭开的蒸笼，澄待在洞里就像被迫在洗温度调得过高的桑拿浴。它想把虾蟆龙顶开然后钻出洞去，但虾蟆龙的身体烫得像火炉，还冒着缕缕青烟，它根本没法接近。澄变得越来越虚弱，要是温度继续升高的话，它很快就会被煮熟的。

澄不知道究竟发生了什么事，或许是世界的末日来临了。

澄是侏罗纪一只普通的槽齿类爬行动物，它当然不知道自己在即将遭到虾蟆龙捕杀的那一瞬间，这世界究竟发生了什么。

这是一场突如其来的、来自太空的天灾。一颗在广袤宇宙遨游的小行星，受地球引力的影响，偏离了运行轨道，飞到地球上来了。一亿多年后人类的研究发现，这颗小行星的直径超过了一千公里，在穿越大气层时，与空气摩擦而燃烧，等它落到北半球上的一片荒原时，直径仍超过一百公里。猛烈的撞击使地球在宇宙空间中摇晃了好几分钟，闪耀起一片让太阳也黯然失色的强烈光亮。这颗小行星的降落造成了惊天地泣鬼神的大爆炸，结果炸出了一个直径约一百五十公里的大坑，将方圆几千公里都夷为平地，爆炸中心所在的区域范围内，无论植物还是动物，所有的生命都化为灰烬。这就是著名的侏罗纪大爆炸。辽西地区离爆炸中心有千余公里，也受到了重创，大批物种毁灭，森林起火，喀纳贝湖都快要被煮沸了。

这确实有点儿像世界末日来临了，但从生物进化和物种更新换代的角度看，这次爆炸既是旧世界的末日，又是新世界的生日。

澄对这一切浑然不知，它一半的身体都被泡在热得发烫的湖水里，却只能惶惶不安地待在狭小黑暗的石洞内，艰难地呼吸着。空气中弥漫的那股浑浊的尸体焦臭味，快要让它窒息了。

第二章　临终产卵

岫生活在离喀纳贝湖不远的一座名叫阿莫错的山上。岫也是雌性槽齿类爬行动物，也长有双弓型头骨。它与澄在体貌上有点儿相似，也是细长娇小的身躯、短短的尾巴和尖尖的嘴巴。从物种族谱上分析，岫与澄属于有着血缘关系的远房亲戚。所不同的是，岫生活在山上，澄生活在水边，此外，岫的皮肤比澄要粗糙些，尤其是它背部的皮肤，厚韧且凹凸不平，这也许跟生活环境有关，生活在山上的动物一般都要比生活在水边的动物粗犷和粗野些。

也是在同一天早晨，岫拖着沉甸甸的肚皮，沿着一条狭长的河谷缓慢爬行。它肚子里已经有了受精卵，想找个合适的地方将卵产下来。岫是典型的爬行动物，所有的爬行动物都是冷血动物，而大部分冷血动物孵卵的办法是：找一块微微有点儿湿润的沙地，·用爪子在地上刨一个浅坑——俗称孵卵坑，将卵产在坑里，然后在卵上盖一层薄薄松软的沙土，靠自然温度进行孵化。为了确保出壳率，爬行动物对孵卵坑是很挑剔的。不过它们在繁殖后代方面所做的工作却很简单，雌恐龙产下卵后就算完成了生命繁衍的任务，它不会守护在自己的宝贝蛋身边，所以选孵卵坑时，首先，要选择其他爬行动物不易到达的僻静角落，越隐蔽越好，以免让自己辛辛苦苦产下的卵成为别的爬行动物可口的点心。其次，要选择既不太潮湿又不太干燥的洼地。太潮湿了，卵会因长时间浸泡在水里而变质；太干燥了，卵会因缺少水分的滋润而干枯。再次，要选择既能被阳光照到但又不被阳光直射的最佳光照角度。万物生长靠太阳，如果阳光照不到孵卵坑，卵会因温度不够而无法孵化，但也不能让阳光直射孵卵坑，那时候的辽西地区年平均气温达 20 摄氏度，类似于现在地球上的亚热带地区，阳光灼热，若让阳光直射孵卵坑，卵会因温度过高而被烧熟。因此，虽然世界很大、很大，但适合岫产卵的地方却并不容易找。从清晨起，它就在这条狭长的河谷找呀找，遗憾的是，爬了很长一段路，仍未找到合适的产卵地点。当它爬到一个“U”字形河湾时，它望见河对面有一片密匝匝的桫椤丛，这倒是个挖掘孵卵坑的合适地点，河边的沙地松软而温润，梳子状的桫椤叶既能吸收阳光又能过滤阳光，适宜卵的孵化。岫兴冲冲地游过河去。就在爬进桫椤丛的一瞬间，它习惯性地往左右瞄了一下——生活在大林莽的弱者需要随时随地保持必要的警惕。突然，它看见桫椤丛左侧一块岩石后面闪过一道身影，岫的视力极佳，一眼就看出闪到岩石背后去的是一只小盗龙。小盗龙也是生活在侏罗纪的小型爬行类动物，以猎食包括蜥蜴、哺乳动物和鸟类的各种小型脊椎动物为生，饿极了的时候，会偷窃其他爬行动物的卵来填肚子。它会像幽灵一样悄悄跟在即将产卵的雌恐龙后面，等侦察到雌恐龙的孵卵坑位置后，便在附近找个隐秘的角落躲藏起来，当雌恐龙产完卵离去后，它便来到孵卵坑前，刨开浮土将卵吞吃干净。小到像岫这样身长不足一米的小型爬行动物的卵，大到身长超过三十米的梁龙的卵，都会成为小盗龙的美餐。那些身强力壮的恐龙都恨透了小盗龙，就像今天人们痛恨小偷一样，只要见到小盗龙的影子就穷追不舍，尤其是那些即将产卵的大肚子雌恐龙，恨不得将天底下所有的小盗龙都赶尽杀绝，方解心头之恨。但现在岫明明看见小盗龙就在身旁，却不敢冲过去驱赶。岫与小盗龙属于一个重量级的爬行动物，彼此的身长和体重相当，再加上小盗龙因偷窃成性，相比之下更凶猛些，岫与小盗龙发生冲突是很难占到什么便宜的。对岫这样的弱者来说，这种时候，最好的应对办法就是避免正面冲突，用计谋将小盗龙骗走。

岫装着没看见小盗龙，继续往桫椤丛里钻，到了桫椤丛中央位置后，它伸出前肢开始扒土，不一会儿就挖出了一个孵卵坑，然后又用撕碎的桫椤叶和浮土将孵卵坑填满，折腾了好一阵，它才钻出了桫椤丛扬长而去。

其实，从表面上看来，岫虽然完成了一整套产卵的动作，它却并没有将卵产在桫椤丛里。这样做虽然会耗费一些精力，却能获得比付出要多得多的生存利益，那就是引诱小盗龙到桫椤丛里来挖掘假孵卵坑，岫就能趁机从容溜走。

前面已经提到过，岫与澄都属于长着双弓型头骨的早期槽齿类爬行动物，一亿多年以后人类科学家研究发现，双弓型头骨是早期生物智慧和情感的重要特征。岫虽然身躯瘦小，但大脑却比其他爬行动物发达，因此它懂得运用计谋来应付危机。

小盗龙果然上当了，等到岫走远后，它就贼头贼脑地钻进了桫椤丛里。

岫顺利摆脱小盗龙的纠缠，离开河谷，爬到阿莫错山西面一块草甸子上。这儿地势开阔，依山傍水，日照充足，植物茂盛，也是理想的产卵宝地。岫爬到草甸子中央一块洼地上，这附近有两个小水塘，水塘里生长着许多浮游生物，可供刚出生的小宝贝食用。当小宝贝出壳一两周后，水塘里还有许多无脊椎动物可作为丰盛的食物。岫虽然是冷血爬行动物，但因为长着与众不同的双弓型头骨，已经有了初步的母爱意识，所以它要尽自己的所能为还没出世的小宝贝提供良好的生存条件。

岫决定在这块草甸子上产卵。它先用嘴将几株种子蕨和楔羊齿连根拔起，又用前爪在地上刨出一个半米深的土坑。一切准备就绪，岫便迈进土坑，撅起尾巴准备产卵。就在这节骨眼儿上，突然，咚咚咚，远处传来一阵脚步声。岫一惊，赶忙把即将滑出产道的一枚卵又缩回肚子里去了。它伸直脖子，透过叶子往发出声响的方向望去。这一望，吓得它连大气都不敢喘，一只足有十米长的异龙，正迈动粗壮有力的后腿，从阿莫错山西面的缓坡一步步朝草甸子方向走来。异龙是当时辽西地区异常凶猛的食肉恐龙，能够捕杀比它身体大一倍的雷龙，是侏罗纪的顶级杀手。正在向草甸子走来的是一只雌异龙，它通体金黄，从鼻梁到脊背再到尾尖，有一条色彩鲜艳的红斑纹，腹部鼓得像吊在芦木上的马蜂窝，两只与庞大身体显得很不协调的小眼珠不住地东张西望，不用猜，岫也知道这是一只正在寻找合适产卵地点的雌异龙。岫纹丝不动地趴在土坑里，希望这只雌异龙能绕过这片草甸子到别处去，广袤大地上，雌异龙是横扫一切的霸主，绝对能找到比这块草甸子更好的产卵之地。遗憾的是，岫的希望很快落空，雌异龙走下缓坡，进到草甸子，径直往草甸子中央走来。这只该死的雌异龙，竟然也和岫一样，相中了这块风水宝地，要到这里来产卵了。

岫心里充满了愤怒，假如它足够强大，它会毫不犹豫地冲出去与雌异龙搏杀一场。是它先找到了这块草甸子，按先来后到的顺序，这块草甸子该归它所有，它理应捍卫自己的权益。遗憾的是，岫不仅不敢跳出来与雌异龙搏杀，甚至都不敢向气势汹汹的雌异龙发出一声怨恨的号叫。因为它们之间的力量对比太悬殊了，雌异龙那锐利的前肢指爪可以毫不费力地将岫撕成碎片，粗如树干的后肢一脚就可将它踩成肉饼。岫倘若冲出去与雌异龙搏杀，无疑是以卵击石。

雌异龙咚咚的脚步声越来越近，岫只能无奈地爬出自己花了很多力气才挖出的土坑，仓皇奔逃。岫在草叶间钻行的窸窣声惊动了雌异龙，雌异龙嗷地发出一声怪腔怪调、威胁似的吼叫，岫马上就被吓得屁滚尿流，只顾拼命逃窜。雌异龙身高腿长，一步等于岫的五六步，而且双方相距并不远，雌异龙要是想捕食岫的话，岫是很难逃脱被对方吃掉的厄运的。幸运的是，这只雌异龙此时似乎并不饿，也有可能是急于产卵而无暇顾及捕猎，反正它没有来追赶岫。

岫一口气逃出草甸子，逃到小河下游一条阴暗的泥沟里，这才敢停下来喘口气。同许多弱小的动物一样，岫遭受欺凌后，也会有愤愤不平的感觉。这世界太血腥了，这世界太残酷了，到处都充满弱肉强食的暴力，像岫这样的弱者活得实在太累了！它花了大半天时间，好不容易找到一个理想的产卵之地，结果却让雌异龙给轻易霸占了。在强者面前，它不敢反抗、不敢抱怨，甚至都不敢叹息，这也实在太窝囊了！要是它的身体能膨胀十倍就好了，要是老天爷能让它的皮肤变得像铠甲般厚韧就好了，它就不用再害怕雌异龙这样的强盗，它就能成为威镇四方的霸主，活得逍遥自在。当然，这只是不切实际的幻想。唉，弱者也只能靠幻想来麻醉自己。

残酷的现实是：岫找不到理想的产卵之地，而腹部却一阵阵胀痛，浑身虚弱乏力，有一种迫不及待想排卵的感觉。

地球上的动物，从生殖形式上说，大致分为两类：一类为卵生动物，另一类为胎生动物。还有介乎于两者之间的卵胎生动物，但数量比较少。胎生动物有严格的分娩时间表，例如一亿多年后出现的人类，十月怀胎，一朝分娩，怀孕到了第十个月，就一定要把胎儿生下来了，不想生也不行，这叫瓜熟蒂落。卵生动物较之胎生动物，产卵时间有一定的伸缩性，就是说必要时可以将卵在肚子里多藏一些日子，但这种伸缩性是有限度的，达到极限后，也会出现憋得非要将肚子里的卵排出来不可的状况。

这是不以任何意志为转移的生理规律。

岫此时就处于这种刻不容缓、非将卵产下来不可的状态。

它环视四周，这是一条夹在两座小山之间狭窄的泥沟，幽深阴暗，终日不见阳光，泥沟里积着厚厚一层赭红色的水，空气里还弥漫着一股腐败的气息。因光照不足，四周没有葱绿的植物，只有几株疏疏朗朗的阴生植物。岫明白，这样的环境不适宜挖孵卵坑。倘若将卵产在这里，卵很有可能会因为阳光不足、温度不够而变成一堆僵冷的死卵；即使小宝贝能侥幸孵化出来，也极有可能是发育不全、缺乏活力的残缺小生命；就算出现不幸中的万幸，一堆卵里能孵化出几个正常的小宝贝，也会因四周缺乏鱼、虾、贝、螺昆虫等食物而饿死。毫不夸张地说，在这种地方产卵，后代存活的概率很有可能是零。但岫已没有其他选择，卵是一定要排出来了，这是没办法的事。它爬到泥沟尽头，急匆匆地扒出个浅坑，便将十多枚卵产了下来。

就在岫排出体内最后一枚卵时，巨大的灾难同样也降临到了它的身上——小行星撞击地球。天空中闪出一片比太阳更耀眼的光亮，紧接着，四周传来了一声天崩地裂般的巨响，岫感到背部像被闪电击中似的一阵灼痛，五脏六腑似乎都要被震碎了，它两眼一黑便昏死了过去。

第三章　享受温情

澄在这场一亿多年前小行星撞击地球所引发的生物大浩劫中侥幸活了下来。

生与死的转换颇有戏剧性。假如没有这场大浩劫，澄毫无疑问就成了虾蟆龙果腹的美餐。在这场大浩劫中，强大的恐龙种群成批死亡，许多物种都灭绝了，但澄却因祸得福，死里逃生，活了下来。澄能逃过这场浩劫有两个原因：一是它所处的特殊的地理环境。在小行星撞击地球的一刹那，澄躲在被湖水浸没了一半的礁石洞里，这就像钻进了一个天然的防空洞，厚厚的礁石群阻隔了大爆炸所带来的巨大冲击波，喀纳贝湖的湖水对冲天大火也起到了降温作用；二是那只堵在洞口的虾蟆龙也为澄阻挡了大爆炸所产生的巨大辐射。

大爆炸之后的第二天，下了一场暴雨，大火熄灭了。澄撞开被烧成焦炭的虾蟆龙，从礁石洞里钻了出来。它望了望远处，夕阳像是挂在远处的山峰上，天空中有成片的火烧云，喀纳贝湖也被染得通红，就像装了满满一湖血液。湖面上漂着各种各样的死鱼，触目惊心。原本碧绿的草地和森林变得一片焦黑，先前绿叶葱茏的大树，上面的叶子现在全部被烧光了，只留下漆黑的枝条，看上去就像一群狰狞而恐怖的黑色妖魔。空气中弥漫着浓浓的尸臭味。原本如天堂般的辽西地区现在变得如地狱一般。澄爬上岸，在烧焦的树林里穿行，想回到自己栖身的那片湖畔灌丛中去。一路上它看到的全是尸体：有小盗龙、翼龙、角龙、两栖鱼龙等，全都横七竖八地躺在被烧焦的草地上。不过有一点还值得澄暗自庆幸，那就是它似乎不用再像往常那样每走一步都要提心吊胆地害怕遭到捕食者袭击。那些专门将澄的家族视为美味佳肴的食肉恐龙，现在似乎都已命丧黄泉，个别侥幸还活着的，也都失去了往日的威风和霸气，丧魂落魄，哀哀号叫，在被烧成焦炭的树林里孤魂野鬼似的游荡。

澄凭着记忆爬回湖畔灌丛，原先迷宫般茂密的灌丛已不复存在，自己的栖身之地已变成一片灰烬。它见到许多同伴的尸体，有的被炸成碎片，有的被烧成焦炭，有的身上虽看不到一点儿伤疤却也气绝身亡了。澄叫了几声，发出同伴间相互联络的信号，却得不到任何回应。

天渐渐黑了，夜风袭来，澄突然打了个冷战，有了寒冷的感觉。对澄来说，“冷”是一种十分新奇的体验。它从孵化出来一直到遭遇大爆炸前，从未有过冷的感觉。它是爬行动物，所有爬行动物都是冷血动物。冷血动物又叫变温动物，它们最明显的特征就是体温会随着周围环境气温的变化而变化：当环境温度高时，体温会随着升高；当环境温度低时，体温也随着降低。由于体温与周围气温同步升降，因此冷血动物不会有彻骨寒冷或酷热难熬的感觉。当环境温度偏低时，冷血动物感觉到的不是冷，而是因体温变低而产生的一种轻微麻木的感觉，动作也会变得迟缓，这时它们就会爬到石头上去晒太阳，提升自己的体温，以保持生命的活力；同样，当环境温度偏高时，冷血动物感觉到的不是热，而是因体温升高而产生的一种类似发烧的感觉，心情也会变得烦躁，此时它们就会爬到阴凉的角落或泡在水里，以免因体温持续升高而烧坏内脏。可此时此刻，澄却突然有了冷的感觉。但在生物种群中，只有温血动物才会有冷或热的感觉。温血动物又叫恒温动物，最明显的特征就是体温恒定，它们的体温不会随着环境温度的升高或降低而发生变化。

澄当然不知道，是小行星撞击地球所产生的强大辐射，引起了它的基因突变，打乱了它体内的血液循环系统，使它由变温动物变成了恒温动物。

而在当时，澄只是觉得新奇，夜风料峭，自己怎么会忍不住瑟瑟发抖呢？冷的滋味并不好受，澄感到皮肤冰凉，四肢麻木，关节处也一阵阵隐痛。实在冷得受不了了，它就不停地爬动，冷的感觉就会消失，可一旦停下来，寒意便加倍袭来，它冷得直打哆嗦。寒冷伴随着孤独，澄备感夜的漫长。突然间，它产生了对同伴的思念。对澄而言，“思念”也绝对是一种从未有过的新体验。过去，它从未有过这种感觉。冷血动物的性格特征就是冷傲和孤僻，平时，它们都是独来独往。发情时，才会去寻找同类中的异性，完成交配受孕，然后就分道扬镳，绝不会对对方有任何思念。雌恐龙等到卵成熟后，找一个合适的孵卵地点，产下卵后，就算尽到了做母亲的责任，随后扬长而去，任卵自生自灭，也不会对子女有什么思念。它们对同伴的感情更是冷漠，彼此之间是一种种内竞争的关系，争夺食物资源，争夺栖息领地，当然它们之间也不会对彼此有任何思念。然而此时此刻，澄却第一次产生了思念的感觉。它想，要是现在身边有一个同伴，那该多好啊！那样对方就能分担自己的苦难与恐惧，就能分解孤独与寂寞，就能共同抵御彻骨寒冷。它嗷嗷呼叫，希望能找到一个还活着的同伴。

晴朗的夜空，只有寒星在闪烁。

澄对伙伴的思念是如此强烈，它踏着星光，沿着喀纳贝湖，边走边急切地呼喊，急切地寻找。当它来到一片乱石滩后，突然听到幽暗的角落里传来嗷的一声叫唤。叫声虽然轻微，但在寂静的夜里澄还是听得真真切切，那是同类在回应它的呼喊。澄赶紧向幽暗的角落里爬去，借着微弱的星光，它看见一块巨石下有一双明亮的眼睛在闪动。澄柔和地摆动着细长的尾巴，用自己种族特有的形体语言向对方打招呼：

——哦，见到你真高兴！

果真是澄的同类，看到澄的动作后，它从巨石底下爬了出来。

这是一个年轻的雄性，名字叫壤。壤身体修长，眉清目秀，刚刚发育成熟。大爆炸发生时，壤刚巧在这块巨石下挖掘蚯蚓，巨石遮挡了辐射和冲击波，使它侥幸活了下来。壤和澄一样，也被少量的辐射打乱了体内的血液循环系统，由变温动物变成了恒温动物，当然也就有了寒冷和孤独的感觉。

澄和壤互相打量了一下，便很快向对方靠拢。

要是没有这场毁灭性的大爆炸，如果体内的生物钟不是指在了发情期，澄即使遇到了壤，也不会有兴趣多看壤一眼。即使在发情期，正常情况下，如果要挑选交配对象，澄也是不大可能会相中壤的，因为壤不够健壮，也不够成熟，是很难得到雌性青睐的。但现在不一样了，它们两个劫后余生，毕竟没有几个同类能在这场史无前例的大爆炸中活下来，能遇到壤已经是澄的幸运和造化，它没有挑肥拣瘦的余地。

巨石下，澄和壤越走越近，当彼此还有两步远时，它们却不约而同地停了下来。它们还不习惯与同类如此亲密无间地待在一起，彼此都觉得有点儿尴尬，于是双方就在黑暗中怔怔凝望着对方，不知道该如何是好。这时，远方忽然传来了食肉恐龙阴森森的叫声，一阵刺骨寒风袭来，澄和壤不由自主地向对方跨了一步，彼此紧紧靠在了一起。说来也奇怪，当它们彼此依偎在一起时，双方都感到自己的恐惧感成倍地缩小了，寒冷的感觉也成倍地减弱了，大爆炸过后弥漫着浓重死亡气息的漫漫长夜似乎也不那么令它们害怕了。

因为寒冷，两个身体需要互相靠近，因为孤独，两颗心需要互相靠近。

就这样，澄和壤相拥而眠，互相取暖，度过了难忘的一夜。

有一种理论认为，感情是温血动物的专利，因为它们身体里的血是热的，于是便会有冷和热的感觉，于是便会有孤独的感觉，为了消除这种孤独，同类个体之间便有了更多的交往，因此便滋生了感情。

第二天早晨，太阳冉冉升起，阳光给大地带来了温暖，澄与壤寒冷的感觉消失了，按理说，它们现在就不需要再待在一起了，但它们并未分开，而是一起外出觅食，一起分享食物，一起享受温暖的阳光。澄与壤虽然共同生活了仅仅一天，却因此有了全新的体验。对它们这种已由冷血变成温血的弱小动物来说，两个脆弱的个体生活在一起，就更容易应付寒冷、饥饿、天敌等，既然在一起有着显而易见的生存利益，那么为什么还要分开呢？

或许这就是婚姻和家庭的起源。

这天中午，澄和壤去到喀纳贝湖上啄食漂在水面上的死鱼。在经过一片被烧焦的芦草时，不知怎的，它们俩走散了。澄本来是跟在壤后面走的，走着走着，突然发现壤不见了，澄立刻就心里发慌，四处奔走寻找，并发出焦急的呼叫。过了一会儿，芦草丛外传来壤嗷嗷的应答声。很快，壤就急匆匆地重新钻进了芦草丛，跑回澄的身边。原来，壤比澄跑得快，钻出芦草丛后，发现澄不见了，也赶忙焦急地呼叫和寻找。当它们看到对方的一刹那，都加快步子奔向对方。虽然只是短暂的离散，却也带来了重逢的惊喜。壤心急火燎地回到澄的身边，优雅地扭动着脖子，用自己的脸轻轻地摩挲着澄的脊背，以表达自己又能与澄重新相聚的喜悦之情。

澄突然之间觉得心里暖洋洋的，有了一份感动。对澄来说，“感动”也是一种从未有过的、十分新鲜的体验。

第四章　冲破阻碍

本书的另一个主人公——岫，却没能躲过大爆炸的劫难，成为小行星撞击地球后留下的千千万万个遇难者之一。

在阿莫错山那条阴暗的泥沟里产下最后一枚卵时，岫不幸遇难。但幸运的是，当时它的身体正盖在自己所产下的十多枚卵的上面，它的内脏被严重震伤，但身体却保护了卵；同时，泥沟夹在两山之间，山峰遮挡了大爆炸所产生的强大辐射，岫的身体也挡住了一部分辐射，所以岫的卵仅受到了轻微的辐射。一句话，岫死了，它的卵却侥幸存活下来。

两个月后，在岫逐渐腐烂的尸体下面，十几枚卵成功地孵化出来了。

这就是岫二代。

岫家族繁殖机制与侏罗纪其他爬行动物类似，卵也是靠自然温度孵化，小家伙一出壳就会爬动，自己从浮土层钻出来，自行觅食，不需要母亲的照料抚养，自生自灭，具有顽强的生存能力。

岫的子女们出壳后，按照遗传密码规定的步骤，眼睛还没有睁开，便挣扎着想爬出孵卵坑。这是它们为了存活下来必须迈出的第一步。孵卵坑里阴暗潮湿，它们身上带着一层来自卵壳里的黏液，因此它们必须尽快让阳光晒干身上的黏液，尽快让阳光晒热自己的身体，以获得生命活力。在蹭破卵壳的过程中，它们耗去了一半力气，还留有的另一半力气，是要用来顶开盖在孵卵坑上的那层浮土的。正常情况下，它们是能从那层并不厚实的浮土里钻出来的。但这一次，岫二代们却遇到了意想不到的困难。岫当时是趴在孵卵坑上咽气的，所以它的遗体就严严实实地盖住了孵卵坑。小家伙们钻出了浮土，却见不到阳光，对它们而言，世界仍是一片黑暗。它们在黑暗中摸索，寻找生的出路。但岫的遗体对这些还没睁开眼睛的小家伙们来说，实在是太重了，它们根本无法将岫的遗体挪开，然后爬出孵卵坑去。最后出壳的那个小家伙，在爬行过程中，身上的黏液粘上了许多土屑，这样一来，它渐渐变成了一只小小的土球。后来，它挣扎了几下，不想土屑却倒灌进了眼洞、嘴洞和鼻洞，最终，它停止了挣扎。另外两个小家伙，爬着爬着，竟然钻到了岫已经开始腐烂的身体里去了，对刚出壳的小家伙来说，岫的五脏六腑像个大迷宫，里面还布满了脓血，它们很快就被呛得无法呼吸。它们是从娘肚子里出来的，最后又回到了娘肚子里。剩下还活着的十几个岫二代，出于求生的本能，仍奋力爬动，徒劳地在绝境中挣扎。小家伙们毕竟刚刚出壳，还十分脆弱，挣扎了一段时间，体力渐渐耗尽，一个个相继走上了不归路……它们早已经死去的妈妈成了它们迈向新生无法逾越的障碍，孵卵坑直接就成了它们的坟墓。最后，只剩下了一个小家伙，是个雌性，就给它起名叫岏吧。岏是十几枚卵里第一个出壳的。现在它的兄弟姊妹们都气绝身亡了，唯独岏还活着。岏身上也粘满土屑，也已累得筋疲力尽，只剩下最后一口气了，但想要活下去的本能是如此强烈，只要还有一口气，只要还能挪动柔弱的身体，岏就钻头觅缝寻找活下去的可能。它沿着土坑边缘艰难地爬行，一面爬，一面用力将脑袋往上顶，这是一种与生俱来的本领，它要顶开压在头上的浮土，从黑暗发霉的孵卵坑爬到阳光灿烂的世界中去。它一路爬，一路顶，就在它微弱的体力即将耗尽时，它突然看到了一丝阳光；不不，用看到这个词显然不准确，岏的眼睛还没睁开，还不具备看的能力；它是感觉到了一丝温暖的阳光落到它柔嫩细腻的眼皮上；对刚刚孵化出来的屷来说，阳光太珍贵了，阳光能给它注入生的希望，所以它对阳光的反应格外敏感。屷又向着透进那丝阳光的方向用力拱顶，一丝阳光变成了一缕阳光，它还呼吸到了新鲜的空气。屷受到了莫大鼓舞，用足吃奶的力气——吃奶这个词显然也用错了，屷不是哺乳动物，是爬行动物，而爬行动物是没有吃奶这个概念的——屷用尽最后一点儿力气，削尖脑袋拼命地向透进那缕阳光的缝隙中钻去。

屷是幸运的，岫的遗体趴在孵卵坑上，将孵卵坑盖得严严实实，但在岫的腿弯处，却留有一条窄缝。阳光就是通过这条窄缝投射进孵卵坑的。

终于，屷的脑袋从那条小小的缝隙里钻了出来，阳光温柔地抚摸着它的额头，它已耗尽了全部力气，此刻实在爬不动了，于是就停了下来，头在坑外、身体留在坑内；暖融融的阳光从它的额头慢慢渗进了它的体内，给它僵冷的身体注入了热量，注入了活力；它是冷血动物，太阳就是它生命的源泉。过了许久，屷恢复了些许力气，凭着顽强的求生欲，它终于从那条窄窄的缝隙中钻了出来。

明媚的阳光晒干了它身上的黏液，晒热了它体内的血液，并轻轻地撩开了它的眼皮，屷的眼睛睁开了，但看到的却是大爆炸过后满目疮痍的世界。它迈动细弱的四肢，头也不回地向泥沟外爬去。屼是岫二代中唯一的幸存者，等待它的将是一场轰轰烈烈的生物演变的悲喜剧。

第五章　母亲的怀抱

小行星的撞击给地球上的生灵造成了重大灾难，但生命生生不息的规律是任何力量也无法阻挡的。大爆炸过后仅仅几个月，被烧焦的枝丫上就长出了一簇簇的嫩叶，被烧成灰烬的大地上也泛起了一片新绿。草地上各种新生的昆虫在浅吟低唱，喀纳贝湖里也不时传来鱼儿跃水的声响。

这颗蔚蓝色的星球迎来了大爆炸后的第一个春天。春天是万物生长的季节，随着大地重新披上浓浓的绿装，澄体内的生物钟也指向了发情期。自然而然地，它和壤交配了。但跟以往不同的是，交配结束后，壤并未离去，而是仍陪伴在澄的身边。

若干天后，澄肚子里的卵成熟了，到了要产卵的时候了。按以往的经验，澄在喀纳贝湖边找了个温暖湿润的僻静地方，扒出一个孵卵坑，按那个年代爬行动物传统的产卵方式，将卵产在孵卵坑里。澄已经是第三次做母亲了，在这方面积累了一些经验。它惊讶地发现，自己这一次产下来的卵，与以往两次所产的卵相比，有很大的不同。以往它每次都要产十多枚卵，而这一次，它却仅产了四枚卵。卵不但数量锐减，质量似乎也在退步。澄前两次产下的卵，个头比它的爪掌大，白里透红，闪烁着生命的光泽，而这一次产下的卵，个头只及它以往产的卵的一半，而且还灰乎乎的，表面上还有很多褐色的麻点，显得渺小而丑陋。它不明白这是怎么回事，但不管怎么说，这些卵是它生命的一部分，敝帚自珍，母不嫌子丑，它小心翼翼地将这四枚卵排成一个“口”字形，用浮土将卵盖上。按侏罗纪爬行动物的繁殖规律，雌恐龙一旦将卵产进孵卵坑，并用浮土盖上，便算完成了一个母亲该做的全部工作，留下殷切的期待，留下美好的祝愿，便可扬长而去了。卵会自然孵化，用不着妈妈操心。于是，在做完这一切后，澄就和壤一起离开孵卵坑，到喀纳贝湖觅食去了。

这是爬行动物最标准的繁殖形式，是与冷血动物生理特征相适应的繁殖机制。冷血动物最大的特点，就是随着环境温度而改变自己的体温。冷血动物产下的卵，也具备了这一特点，即会随着环境温度而改变卵内的温度，当环境温度适宜时，卵就会自然孵化了。这种粗放型繁殖机制所带来的好处是，雌恐龙无须为孵卵、育幼耗费精力，它可以腾出更多的时间去继续繁殖。一亿多年以后的今天，许多爬行动物仍然沿用老祖宗传下来的繁殖模式。例如蛇、鳄鱼、乌龟、蜥蜴等等，都采用这种繁殖模式。这大概也是冷血动物缺乏感情的最根本原因。

转眼二十多天过去了，按以往的经验，澄应该将产在喀纳贝湖湖畔那窝卵渐渐淡忘了。小家伙们的生死祸福，听天由命，与它无关。可是，不知怎的，澄自从离开那个孵卵坑后，就一刻也没停止过思念，它总有一种忐忑不安的感觉，卵的数量太少了，越少就越觉得宝贵。它担心卵会被小盗龙偷吃，还担心它们会被路过的大型恐龙一脚踩碎。卵实在太小了，能孵化出活蹦乱跳的小生命吗？它心里一点儿底也没有。会不会因为温度不够，小家伙们难以破壳而出？会不会因为上面的浮土盖得太厚，小家伙们出壳后无法钻出浮土，从孵卵坑里爬出来？它想停止这种没有来由的牵挂，想摆脱这种毫无意义的担忧，但仿佛有一条无形的丝线，将它的心与孵卵坑里那窝卵拴在了一起，澄怎么也无法停止牵肠挂肚的想念。它又忍了几天，但思念不但没随着时间的推移而淡化，反而越来越强烈。有一次半夜做梦，澄梦见有一只凶悍的北票龙，正在用犀利的爪子掘食它藏在孵卵坑里的四枚宝贝卵……它被这个场景吓醒，惊出了一身冷汗。

第二天中午，它又回到了喀纳贝湖湖畔那个孵卵坑。四周静悄悄的，没有小盗龙或其他大型恐龙来过的痕迹。澄轻轻扒开浮土，四枚卵完好无损地躺在土坑中央，它这才松了口气。可此时又一个疑惑涌上心头。卵的孵化大致有张时间表，在孵化过程中，不同时间卵的特征是不一样的。这些卵在浮土下待了有三十天了，从时间上推算，顶多再过三十天，小生命就要出壳了。正常光景下，这时候的卵表皮颜色应当变深，蛋壳也会因生命孕育的内在张力而微微变形。然而，此时此刻，这四枚卵却像刚产下来一样，颜色毫无变化，形状也毫无二致。或许是时间还不到吧，澄想。它重新扒动浮土，将卵盖了起来。又过了二十多天，一天黄昏，澄踏着瑰丽的晚霞，再次和壤一起来到喀纳贝湖湖畔的孵卵坑，按以往的时间推算，小家伙们应该到了要蹭破蛋壳的时候了。可澄刨开浮土一看，卵还是先前的卵，毫无小生命即将出世的征兆。它将耳朵贴在蛋壳上仔细谛听，也没有听到任何动静。它站在孵卵坑里，望着眼前的四枚卵发呆。这或许是永远也孵不出小生命的死卵吧，它想。可是，蛋壳上分明流动着生命的光华，这绝不会是四枚死卵。但为什么按爬行动物传统的孵化方式，在土坑里埋了五十多天仍孵化不出小生命呢？澄怎么也想不通，它感到很悲伤。夕阳已经滑落到山峰背后去了，夜幕开始降临。壤抬起下巴轻轻触碰澄的脖子，想劝它离开孵卵坑。天黑了，待在喀纳贝湖是比较危险的。澄转身欲走，但四肢却像灌满了铅，沉重得抬不起来。澄心里很清楚，现在离去也就意味着彻底放弃。倘若它现在还是个冷血动物，它会漠然地接受命运的安排，但它已由冷血动物变成了温血动物，强烈的母爱占据了它整个心灵，四枚卵是它生命的一部分，它无法割舍掉这份情感。它伸出舌头，温柔地舔吻四枚卵。一阵寒风吹来，它的舌尖清晰地感觉到，卵里的小生命在瑟瑟颤抖。它突然醒悟过来，它产下的四枚卵绝非无法孵化的死卵，而是因为温度不够，所以至今未能孵化出活泼可爱的小生命。这些卵期待更多的温暖，它们渴望母亲的胸怀。突然间澄得到一个神秘的启示：假如它将这四枚卵焐在自己的心窝，就能给它们更多的温暖，或许就有可能让小宝贝们平安出世。于是，澄蹲了下来，把自己温暖的胸腹部，紧紧地贴在四枚卵上。它这样一动不动地蹲伏着，将自己的体温，将母亲的祈祷和祝愿，缓缓注入这四枚卵里。夜风料峭，四枚卵却不再感到寒冷，它们依偎在妈妈的身体底下，聆听妈妈的心跳，开始出现生命孕育的征兆。夜深了，万籁俱寂，澄突然觉得卵里的生命在蠕动，虽然这种蠕动十分细微，似有似无，但它却切切实实感觉到了。这或许就是母子间神秘的心灵感应，小家伙们似乎在用一种只有澄才能听懂的声音，发出了世界上最动听的请求：

——妈妈，有你在，我们好温馨，好幸福，请你不要离开我们，在你温暖的怀抱里，我们很快就会孵化出来的！

这四枚卵就像有一种强大的磁力，将澄的心紧紧吸住了。它继续蹲在孵卵坑里，开始了漫长的孵卵工程，日日夜夜，分分秒秒，一步也舍不得离开。于是壤就外出觅食，将食物带回来喂澄。它们同心协力，呕心沥血，一定要将这四枚在自然温度中、传统模式下无法孵化的卵变成活泼可爱的小宝宝！

因为抱窝，澄对自己的后代萌生了深切的爱恋，这就是母爱，这是情感生命最显著的特征，母爱也是一切情感的源泉。不过，澄当时并没意识到，在那个蛮荒的年代，情感是奢侈品，是有百害而无一利的。

第六章　冷酷的世界

屼的生存第一课，就是学会了什么叫弱肉强食。

无论走到哪里，死亡就像幽灵一样紧跟着它。肚子饿了，它就找了一只在大爆炸中丧生的两栖鱼龙，可它刚吃了两口，一丛蕨草后面便闪出一只小盗龙，它赶紧钻进地缝，这才侥幸躲过了一劫。口渴了，它来到一条晶亮的小溪边，才喝了一口水，水草里突然冒出了一只半大的虾蟆龙，它赶紧躲到一个贝壳里，吓得连大气也不敢喘，这才捡回一条小命。连日霪雨，屼因气温偏低而身体僵冷，等到大雨初霁，云破天开，它就从藏身的树洞里爬出来，想爬到石头上去晒晒太阳，以获得生命活力，但它刚登上一块半米高的岩石时，树林里突然传来一阵訇訇如雷的脚步声，屼抬头望去，一只二十多米长的巨大的合川马门溪龙正迎面向它一步步走来。合川马门溪龙虽然是食草恐龙，对屼这样的小动物不感兴趣，但它重达几十吨，脚掌大如蒲葵，轻轻一脚就可以将屼踩成肉酱。没办法，屼只好重新缩回树洞，半天不敢再出来。还有一次，它在一块湿地找到了一条绿头蠕虫，正要美美地饱餐一顿，突然闯来一个同类，也跟它一样，长着粗糙的皮肤、短短的尾巴和尖尖的嘴巴。所不同的是，这个同类比屼早出壳十多天，身体比它大了一圈，所以一下子就将它辛辛苦苦从泥地里挖出来的绿头蠕虫抢了去。已经到手的美食遭到抢劫，屼当然愤怒，扑上去想把绿头蠕虫再夺回来，但对方凭仗身体上的优势，对它又撕又咬，差点儿把它也当食物给吃了。

多次血的教训，使屼认识了这样一条颠扑不破的真理：弱小就意味着危机四伏，就意味着东躲西藏，就意味着挨打，就意味着被吃掉；只有迅速使自己强大起来，才能在大林莽里赢得一席生存之地。

打这以后，屼就拼命进食，凡是能找到的食物，无论是鲜活的虫豸还是腐烂的尸体，它都照单全收，从不偏食，也不挑肥拣瘦，只管撑开肚皮吃，即便吃到打饱嗝，它还继续吃，屼想拼命用食物使自己的身体迅速膨胀起来。

屼是幸运的，大爆炸导致无数生灵死亡，因此可以填饱肚子的食物并不难找。有一次，屼在一个山旮旯里找到了一只在大爆炸中死去的梁龙，足有十几吨重。因为山旮旯里气温低，所以这只梁龙还没完全腐烂，屼就钻进梁龙的肚子里，像个饕餮鬼一样，日夜不停地吃，吃累了就在梁龙的肚子里睡觉，睡醒了就继续吃，吃了整整两个月，差不多将整只梁龙都吃干净了，这才满身血污地从梁龙巨大的躯壳里钻了出来。令人惊讶的是，就在短短两个月里，屼的身体膨胀了数倍！

屼越吃越多，越长越大。屼是岫的后代，它半岁时，身体已经是岫的两倍了。

让屼倍感欣喜的另一点是，它背部的皮肤越变越硬。开始时，屼感觉身上像是长了一层硬茧，继而感觉像是长了一层硬壳。有一次，屼与一只小盗龙争夺一窝恐龙蛋，小盗龙虽然个头不及它，但格斗经验远胜过它，双方扑咬了两个回合后，小盗龙突然就压到它背上，张开嘴就在它背上狠狠咬了一口。小盗龙的牙齿尖利如刺，但奇怪的是，屼并没感觉到疼痛，反而觉得像有谁在它背上搔痒，还觉得挺舒服的，倒是小盗龙就像咬着石头硌了牙一样，惨叫一声，从它背上滚落下来，狼狈不堪地逃走了。

就这样，屼不仅享用了一窝鲜美的恐龙蛋，还知道了自己背部十分坚硬这件事，感觉就像穿着一件铠甲。哈，这可是一件克敌制胜的法宝啊。

屼不知道的是，当它还是一枚卵时，地球上发生了小行星撞击引起的大爆炸，是它的母亲岫把自己的身体盖在了孵卵坑上，挡住了大部分辐射，但还是有少量有害射线穿透岫的身体落到了卵上，进而引起了卵的基因突变。这就使得屼不仅身体膨胀，背部皮肤也隆起厚韧的褶皱，褶皱还随着身体发育而日趋坚硬，就像一件天然铠甲。于是，一亿多年前的侏罗纪，在这颗蔚蓝色的地球上，在纷繁的恐龙大家族里，甲龙崛起了，并逐渐演化成让所有恐龙都望而生畏的超级甲龙——犬齿甲龙。

岫的家族和澄的家族本来是近亲，都是长着双弓型头骨的小型槽齿类爬行动物。从大爆炸开始，这两个本来是近亲的两大家族，各自却经历了不同的命运，沿不同的道路演化了。假如我们把物种演化比喻成一棵树，那么这场大爆炸就像一个树节，从这里开始，树节长出了树杈，并向两个截然相反的方向生长、发展。

祸兮？福兮？这还很难预测。

第七章　伟大的母爱

澄今天悲喜交加。悲的是，这天清晨壤外出觅食，澄等着壤带回能让它果腹的食物。可等到中午大太阳当顶了，却还不见壤回来。正常情况下，壤一个上午可外出觅食两到三趟。就现在的情况看来，很显然，壤出事了，极有可能是在喀纳贝湖湖畔或某个灌丛捕食时，一不留神被其他食肉恐龙抓住吃掉了。喜的是，经过三十五个昼夜的抱窝，澄的小宝宝终于出壳了。

让澄感到困惑的是，四个小宝宝似乎全部患了幼稚症：它们不会睁眼，不会爬动，甚至不会站立，只会一个动作，那就是抻直脖子、张开稚嫩的小嘴、发出细弱的乞食声。

这与澄过去那些靠自然温度孵化出来的卵形成了很大的反差。

过去，澄的小宝宝一旦破壳而出，就立刻会爬行，它们努力爬出土坑，爬到太阳底下，借温暖的阳光晒干身体并获取热量，紧接着，它们的眼睛就睁开了。不用妈妈操心，它们自己就会爬到草丛或湿地去寻找可以充饥的虫子。没有妈妈的照料，不需要妈妈喂养，它们也能存活。

但眼前这四个小家伙，虚弱得连站也站不起来。很明显，它们根本没有自己存活下去的能力，倘若澄不给它们喂食的话，它们是不可能活下去的。

没办法，澄只好钻进草丛，扒开潮湿的泥土，叼来蚯蚓、地狗子和各种各样的蠕虫，塞进四张嗷嗷待哺的小嘴里。

半个月后，四个小宝宝终于睁开眼睛，可以爬动了，可它们仍然虚弱而稚嫩，饿了仍需要妈妈喂食，困了仍要蜷缩在妈妈的身体底下睡觉。

要是大爆炸前，小家伙出壳半个月，早就各自独立谋生了啊！

又过了半个月，小家伙们长大了些，可生活上仍无法自理。

澄当然不明白，为什么它的四个儿女养了一个月还不能独立生活。这种现象叫“幼稚态延长”，是生命由低级向高级进化的必由之路。大多数经历“幼稚态延长”的动物，在童年期会比较脆弱，但长大后它们的头脑可能会更灵活，更能适应环境。

此时此刻，望着眼前四个出壳已一个月，却仍要依赖妈妈悉心照料才能活下去的儿女，澄心里充满深深的忧虑。对小家伙们来说，危险指数与成长速度刚好成反比：成长速度越快，危险指数越低，成长速度越慢，危险指数越高。小家伙们生长如此缓慢，在血腥的大林莽里是非常危险的，它们随时都有可能遭到天敌的袭击。

澄担心的事情果真发生了。

这是一个春光明媚的上午，澄外出觅食五次，好不容易才将四个小家伙喂饱了。小家伙们钻到澄的肚皮底下惬意地打起了瞌睡，身心疲惫的澄也趴在土坑边缘眯起眼睛打盹儿。就在这时，从左前方的灌丛里传来一阵窸窸窣窣的声响，澄警觉地抬头望去，透过茂密的枝叶，它看见一只恐爪龙正在距离它和小家伙藏身的孵卵坑约两百米远的灌丛里穿行。澄顿时紧张得浑身颤抖，一颗心都快要跳出嗓子眼儿了。这只恐爪龙身长两米半，在梁龙、雷龙、腕龙、异龙这些恐龙界巨无霸的面前，似乎只能算是个小不点儿，可别看恐爪龙个头不大，但它却享有“侏罗纪超级杀手”的称号。恐爪龙，顾名思义，就能猜到它的脚爪特别可怕，其中一只爪子有十三厘米长，锐利如镰刀，一爪下去就可将猎物开膛剖肚。更可怕的是，恐爪龙的大脑比一般恐龙大。身体比恐爪龙大四倍的剑龙，大脑仅有一颗核桃那么大，而恐爪龙的大脑却有四颗核桃那么大，身体与大脑的比例远远超过了侏罗纪恐龙的平均值，所以它智力发达，反应敏捷，视觉、嗅觉和听觉都很灵敏，用“狡诈”、“凶狠”这些词来形容它再恰当不过了。对澄这样的小型爬行动物来说，恐爪龙的危险远远超过那些巨无霸恐龙，只要被恐爪龙发现，是很难有机会逃生的。

澄将四个小家伙搂在怀里，吓得连大气也不敢喘。四个小家伙被惊醒了，很快从澄惊悚的目光中感觉到了某种致命的危险正在迫近，一声不吭，乖乖地藏在澄的肚皮底下。一家子就这样惊恐不安地抱在一起。

那只恐爪龙钻出灌丛，站在草坪上，抬起脑袋瞭望。

澄稍稍松了口气，它的孵卵坑就在草丛里，眼下正值草木葳蕤的春天，茂盛的青草就像一道绿色屏障，遮挡了恐爪龙的视线，只要它们缩在孵卵坑里不出来，恐爪龙是什么也看不见的。可澄似乎高兴得早了点儿，恐爪龙环视了一圈，确实什么也没看见，可它抬起脸，耸动鼻子，仔细地嗅闻周围。澄立刻就有了一种从万丈悬崖失足摔下去的恐怖感。它晓得，恐爪龙嗅觉灵敏，而它的四个小家伙在这孵卵坑里已生活了一个多月，吃喝拉撒都在这小小的空间里，毫无疑问，此时孵卵坑里散发着一股浓浓的气味，对正在寻找猎物的恐爪龙来说，等于是在发布一条气味广告：这里藏着你感兴趣的猎物，你不费吹灰之力就可以逮到！

澄非常后悔，早知道会这样，它应该在小家伙们开始会爬动时，就及时搬家，找一个更隐蔽、更干净的窝，或许就可以避免眼前这场生存危机了。唉，现在后悔也晚了。

果然，恐爪龙马上就闻出了蹊跷，它的两只眼睛突然变得贼亮，身体前后跃动，频频举起令所有动物都望而生畏的利爪，进入了捕猎的兴奋状态。

刹那间，澄害怕得头皮发麻、四肢发凉，看来，眼前这场血光之灾是无法避免了。四个小家伙刚刚会蹒跚爬动，是绝对逃不脱恐爪龙魔爪的，双方力量对比太悬殊了。即使澄有胆量与恐爪龙搏杀，也绝对是以卵击石、飞蛾扑火。最明智的做法，就是趁恐爪龙还没发现它时，悄悄溜出孵卵坑，钻进茂密的草丛，逃之夭夭。就算恐爪龙听到它逃跑的动静而追赶过来，等它追到土坑前，看到孵卵坑里有四个细皮嫩肉的小家伙，也就会停止追赶，转而忙着去享用美餐了。这种用自己亲骨肉做挡箭牌而自己逃命的办法，在一亿多年以后的人类看来，无疑是一种有悖道德伦理的残忍行为，但在一亿多年前冷血爬行动物占统治地位的侏罗纪，却是一种很正常、很常见的降低灾祸造成的损失的好办法。明摆着的，全家一起胜利大逃亡是不可能的，倘若澄坚守在孵卵坑里，结果只能是一家老小全部成为恐爪龙的美食，它的死绝不可能换来四个小家伙的生，死也是白死，无非是一种殉葬而已。这其实是一道并不复杂的选择题——或者全家五口通通被恐爪龙吃掉，或者它抛弃四个小家伙自己逃命。要是澄没有因大爆炸而变成温血动物，要是澄没有经历含辛茹苦的抱窝和育雏，它会毫不犹豫地选择自己逃命的。动物界没有道德伦理，只有生存利益，能让自己活下去是最最重要的。留得青山在，不怕没柴烧，它还年轻，只要它能平安脱险，相信在不久的将来，它还能孵出一窝活泼可爱的小宝宝。何必要殉葬，何必要陪着送死？澄确实打算开溜了，可它却无法迈动四肢，腿沉重得就像是用石头雕成的。一种更为强大的情感力量，压制了它想弃窝溜逃的企图。过去它也曾产过卵，却从未有过与小家伙们心心相印、如此难分难舍的情感联系；过去它产卵，无非是传宗接代的需要，复制自己的基因，完成繁衍的本能，谈不上有太多的感情。眼下这四个小家伙，不仅仅是从它肚子里生出来的四枚卵，而是它花了整整三十五个日夜、用温暖的胸膛孵化出来的，还是它一个多月来一口一口嘴对嘴渡食喂大的，是它心血的凝结，是它灵魂的延伸，是它生命不可分割的一部分。抛弃它们，就等于是在抛弃自己的生命，不，不，比抛弃自己的生命还要痛苦。一想到它们即将被可恶的恐爪龙撕碎吞食，澄的心就像被撕裂般疼痛。它有一种感觉，如果这四个小家伙遇害，它一定会痛不欲生。所以，只要有一线希望，它绝不会听任恐爪龙将它的心肝宝贝吞进肚去。它一定要救它们，哪怕为此牺牲自己，它也在所不惜。

恐爪龙迈动矫健的步伐，向发出气味的孵卵坑小跑过来。

澄紧张地思索着能让四个小家伙绝处逢生的办法，可越急脑子越像团乱麻，它根本就想不出能救自己的心肝宝贝的好办法。就在这时，左前方一丛灌木里哗啦一声响，枝叶摇曳，似乎是什么东西看见恐爪龙逼近而在仓皇逃窜。恐爪龙听见动静了，扭头驻足观望，似乎有改变行进路线的意思。遗憾的是，灌丛里的声音突然就消失了，恐爪龙犹豫了一下，又将注意力集中到散发气味的孵卵坑上。这一小小的插曲，似乎像把无形的钥匙，无意中开启了澄心中的智慧门，又犹如闪电之光，一下子照亮了它混沌的脑子。一个伟大的想法因此而诞生了。

恐爪龙沙沙的脚步声越来越近。

澄倏地蹿出孵卵坑，但不是往茂密的草丛钻，而是迎着恐爪龙奔去。一面跑，还一面用身体撞击灌木，发出稀里哗啦的声响。离开孵卵坑约二三十米后，澄突然来了一个急转弯，朝与孵卵坑相反的方向奔跑，还故意发出嗷嗷的叫声，吸引恐爪龙前来追撵。

地球上自有生命以来，还是头一次发生在小恐龙遭遇危险时，雌恐龙不顾自己的安危将敌害引开的事例。这一经典行为，成为许许多多动物的样板行为，光耀千秋万代，历经亿年而绵延不绝，至今仍在大林莽中不断上演，谱写着一曲曲感人肺腑的母爱颂歌。

恐爪龙改变方向，兴奋地吼叫着，朝澄追去。

这是一场生死角逐。澄身长只及恐爪龙一半，虽然它竭尽全力奔跑，但速度仍比不上恐爪龙。双方的距离很快就缩短了，只差两三步了，恐爪龙恐怖的爪子就要落到澄的身上了。

澄已不抱有任何活下去的希望了，现在的它只有一个念头：尽自己的所能，将恐爪龙引离孵卵坑远一点儿、再远一点儿，让小家伙们离死神远一点儿、再远一点儿。

澄又跑了十几米。最后的时刻终于来临了，澄感觉到耳边有一阵风响，背上有一种被利刃剖开的剧痛，它拼命蹦跶，竭力挣脱恐爪龙的魔爪，咬牙继续往前奔，它明白这是垂死挣扎，顶多还有一两秒的时间，恐爪龙的爪子就会无情地将它撕碎，它必死无疑了。可只要还有一口气，哪怕只能再往前跑一步了，它也会坚持跑完这一步的，因为多往前跑一步，四个小家伙就多一份存活下去的希望。

最后的时刻不可避免地到来了。

一亿多年前的辽西地区出现了一幅令人触目惊心的图景：恐爪龙那根长达十三厘米的指爪，穿透澄的脖子，澄被悬空吊了起来，一股热血喷涌而出。它那两只忧伤的眼睛恋恋不舍地凝望着孵卵坑的方向。四个小家伙那么弱小，它死了，它们能活下来吗？

第八章　爱情擂台赛

在血腥的生存竞争中，屼渐渐长大，而且到了婚配的年龄。

在动物界，选择配偶的权利通常掌握在雌性手里。冷血动物的婚配模式大致是这样的：雄性与雌性在山林中偶然相遇，雄性努力展示自己强壮的身体，积极主动地追求雌性，雌性如果觉得满意，就向对方敞开爱的心扉。在一亿多年前的侏罗纪，冷血雌性动物的择偶标准中有一条，那就是强壮。每个雌性都本能地懂得这一点，只有与最强壮者交配，生下来的后代才有可能是最强壮的，这样才能在危机四伏的丛林里获得更多的生存机会。

性选择是生命进化的推动器。

生命的发展就这样一代胜过一代。

比起其他同类雌性来，屷挑选配偶的眼光更挑剔。童年时苦难的经历，一次又一次死里逃生的恐怖遭遇，更让它坚定这样的信念：一定要让自己的后代比自己更强壮、更骄悍、更具竞争力！

要达到这样的目的，就必须优中择优，挑选一个最出类拔萃的雄性。

最好的办法，就是搭建一个婚配擂台，举办一场惊心动魄的求婚擂台赛，这样才能确保婚配的质量。

屷在阿莫错山脚下那条清澈的钦瑙伦河旁，迎风而立，抖动身体，将自己的气味连同明媚的春光一起播散开去，好比送出了一份份用气味书写的擂台赛邀请函。

第一个登场的是炜。炜很年轻，颈部两侧各有一条水红色的斑纹，眼睛活泼而明亮，算得上是个“阳光男孩”。炜浪漫而多情，它刚到没多久，就用舌头舔吻屷的脖颈，急不可耐地想做新郎。屷则态度暧昧地巧妙与它周旋。炜急吼吼地冲过来，屷就敏捷地转身躲避；炜气冲冲地退却，屷又含情脉脉地靠拢去。总之，屷既不让炜得逞，也不让炜绝望，总和它保持一个若即若离的距离。

第二个登场的是灼。灼是一个成熟的雄性，四肢粗壮，身体比炜大了一圈，脖颈有好几圈皱褶，橄榄色的背部微微隆起，就像穿着一件软甲。

异性相吸，同性相斥。炜和灼虎视眈眈地对峙着。

屼向炜抛媚眼，也向灼送秋波，那是在告诉它们：

——你们一个有青春美，一个有成熟美，我为难死了，真不知该选谁才好！

炜和灼都巴不得独享爱情这杯美酒，一场血腥的搏杀在所难免。

炜虽然外表俊美，但中看不中用，仅仅两个回合，肩胛就被咬破，尾巴也被咬断，哀嚎一声便落荒而逃，碧绿的草地上洒落了一串冷凝的血滴。

屼本来还对炜抱有几分好感，但看到这种情景，屼所有的好感即刻烟消云散。如此不堪一击的东西，当然没资格做它的白马王子。在弱肉强食的大自然里，强悍的体魄远比俊美的容颜有价值得多。屼的感情理所当然地倾向强悍者。

灼得意地摇动尾巴，向屼炫耀着自己的胜利，然后趾高气扬地向屼靠近，看来也是迫不及待地想做新郎了。

屼再次巧妙避闪。它要的不是这种一胜一负的结果，它要的是优中择优、强中选强。它继续迎风而立，抖动身体，将自己的气味连同明媚的春光一起播散开去，送出一份份用气味书写的擂台赛邀请函。

又有四只雄性受到屼的气味的诱惑，相继来到钦瑙伦河旁，来参加这场爱情的角逐。灼不愧是久经考验的成熟雄性，凭借着自己那锋利的牙齿，将竞争者一一咬伤，使得对方负伤而逃。一连串的胜利，让灼变得更加骄横，它粗鲁地朝屼发出嚣叫，催促它接受交配，那情景就好像胜利的一方理所当然要获取战利品一样。

按理说，灼一连战胜了五个竞争对手，屼应该为灼敞开爱的心扉了。有五个失败者垫底，爱情擂台赛似乎可以圆满谢幕了。可屼仍犹豫着要不要委身于灼。用一般标准来衡量，灼成熟老练勇猛善战，算得上是个优秀的雄性了。可屼将灼与自己心目中理想的白马王子比较，灼似乎仍有不小的差距。再者，虽然灼咬伤了五个竞争对手，虽然钦瑙伦河旁碧绿的草地上洒落了一串串冷凝的血滴，但似乎并没有出现屼所期待的那种壮丽辉煌的场面，也远未达到它想要的那种惊心动魄的效果。

屼心有不甘，所以与灼也保持若即若离的状态。

一晃又过去了几天，春天已接近尾声。按生物钟的指引，屼体内澎湃的春情也将快速退潮。再耽搁下去，这一个繁殖期就要白白错过了。可屼却抱定一个原则：宁缺毋滥。它宁可错过春天这个浪漫的季节，也一定要等到自己心仪的配偶出现。

屼非凡的耐心终于等来了奇迹。

那天黄昏，燎踏着夕阳出现了。燎称得上是种群中的佼佼者，屼还是头一次看见身体如此魁伟的雄性同类。灼在同类中已经算是高大的了，但站在燎面前，却像个还没发育成熟的小弟弟。燎绝对称得上是同类中的巨人，它不仅体魄健硕，背部还长着一层厚厚的“铠甲”，屼自己背上的那层铠甲在同类中已经算是厚韧的了，但燎的铠甲比它更为厚韧坚硬，还泛动着一层金属的光泽。燎目光凶悍而坚毅，锋利的牙齿闪烁着寒光。让屼特别满意的是，燎身体左侧有三道长达半米的伤疤，在弱肉强食的丛林里，雄性身上的伤疤，就是成功者的标记和勇敢者的见证。

一场惊心动魄的恶战瞬间爆发。

灼出于自己雄性的自尊，为了保卫爱情表现得非常顽强，虽然被燎咬得遍体鳞伤，仍不肯退却。但在靠实力生存的丛林里，光有勇敢是远远不够的，身体强壮才是王道。因为双方力量对比太悬殊了，所以燎始终占着上风。打斗越发激烈了：虽然灼的两条后腿都被咬断了，它只能在草地上艰难地扭动，但却仍朝燎频频扑咬，可惜的是，它十次有九次都咬空了，偶尔有一次咬到燎，也咬在它厚韧的背甲上，这对燎造不成任何伤害。双方又互相扑咬了几次后，燎突然绕到了灼的身后，用尖利的牙齿叼住灼的后背，用强有力的前爪踩住灼的尾巴，然后猛的甩开脖子，哧的一声，灼整个背部都被撕开了，血马上就从白白的脊椎骨间漫流开来……

火红的夕阳，冷凝的血液，钦瑙伦河旁碧绿的草地上铺了一层凄艳的红、恐怖的红、辉煌的红。

灼死了，却仍圆瞪着双眼，保持着欲扑欲咬的姿势。那双死不瞑目的双眼，既是失败者的墓碑，更是胜利者的丰碑。

屼自始至终都在一旁观战，灼惨遭不幸，并未使屼产生任何伤感。灼不够强大，失败是必然结果。优胜劣汰，这是永恒不变的规律。望着躺在地上血肉模糊的灼，屼的身心感到了极大的满足。用生命作赌注，爱情擂台才显得更加壮丽辉煌。燎高大魁伟、凶残狠毒、不可一世，正是屼梦寐以求的理想配偶。没等燎爬过来，屼就迎了上去。向强者投怀送抱，屼并没觉得有什么委屈。燎的动作很粗鲁，与其说是婚配，还不如说是征服，它那尖利的爪子把屼的尾巴都划伤了，但屼并不觉得痛苦，因为它最终是与最优秀的雄性交配的，它必将产下最优秀的后代，它沉浸在实现梦想的巨大喜悦中。

屼不知道，这个由它首创的用爱情擂台赛择偶的方法，将世世代代沿袭下去。一亿多年后的今天，荒原丛林中仍不断上演这种用鲜血和生命作代价的爱情擂台赛。

第九章　弱者的命运

澄的四个子女中，仅有淑活了下来。

淑是雌性，在四个兄弟姐妹中排行老四，能活下来是因为它的胆子特别小。

澄被恐爪龙吃掉后，四个小家伙在孵卵坑里左等右等，一直不见妈妈回来。它们伸长细弱的脖子拼命地叫唤，也没有听到妈妈应答的声音。它们互相拥抱着，在孵卵坑里胆战心惊地度过了一个不眠之夜。第二天凌晨，它们感到肚子饿极了，孵卵坑里什么吃的也没有。在饥饿的驱使下，它们爬出孵卵坑，冒险到丛林里去觅食。小家伙们已经一个多月大了，已经学会爬行，而且到了学习掌握觅食能力的年龄。它们没像其他爬行动物那样，一出窝就四下散开，自顾自各奔前程；它们在妈妈的照料下共同生活了一个多月，已有了最初级的兄弟姐妹意识和最粗浅的手足之情。现在妈妈不在了，而它们年纪尚幼，面对危机四伏的丛林，抱成一团比单个闯荡的风险显然要低许多。于是，爬出孵卵坑后，四个小家伙都不愿独立行动，而是凑在一起，爬进丛林觅食。老大、老二是雄性，老三和淑是雌性。老大最先出壳，又是雄性，理所当然是这场冒险活动的带头者。

等待它们的，除了灾难，还是灾难。

离开孵卵坑的第二天，四个小家伙走进了一片桫椤树林，啄食散落在地上的浆果。它们所属的这个家族食谱很广，它们以荤食为主，在找不到足够荤食时，也吃一些草籽儿、浆果，属于杂食性动物。浆果非常松软，还散发着一股很特别的浓香，味道还不错。四个小家伙早就饥肠辘辘，一个劲儿地闷着头吃，高兴得忘乎所以。在一个团体里，啄食秩序就是等级秩序，老大既然是四兄妹中的带头者，当然就有优先啄食权，所以它走在队伍的最前面，老二、老三和淑跟在后面，排成一路纵队，一边寻找并啄食散落在草丛里的浆果，一边慢慢地往前移动。就在这时，突然，从一棵高大的桫椤树背后，闪出一只北票龙。北票龙是一种肉食性恐龙，身长两米多。看到这四个鲜嫩的美食，北票龙以迅雷不及掩耳之势扑向这些正埋头啄食蕨果的小家伙。老大走在队伍前列，首当其冲，被北票龙逮个正着。北票龙用锋利的牙齿咬住老大细弱的脖子，可怜的老大，连一声叫唤都来不及发出就离开这个世界了。

老二、老三和淑吓得魂飞魄散，赶紧逃离了这片危机四伏的丛林。

老二是雄性，老三和淑是雌性，老大遇难后，老二成为小团体的核心。它们来到喀纳贝湖湖畔一片红树林。这是一块湿地，涨潮时一片汪洋，只有零星几个土堆露出水面，退潮时一片泥泞，上面还会留下许多被潮水带来的贝螺和小鱼虾。三个小家伙涨潮时就爬到土堆上憩息，退潮时就踩着稀泥浆啄食贝类和小鱼虾。庞大的恐龙是不敢走进这片红树林的，因为它们沉重的躯体会陷入泥潭而无法自拔。老二、老三和淑身体轻盈，能够在这样的湿地爬行并生存。它们很高兴能找到这样一个远离凶猛掠食者的世外桃源。但舒心的日子没过几天，桃花源就变成了屠宰场。那天，湖水涨潮时，老二、老三和淑爬到一座状如龟背的小土堆上憩息。数小时后，湖水开始退潮。又过了一会儿，湖中仅剩了浅浅的一层水了。就在这时，一条两寸长的小鱼翻着白肚皮在水里挣扎，搅起一团黑色泥浆，它离龟状小土堆只有一步之遥。

不难想象，这条倒霉的小鱼被潮水冲击，身不由己地进到红树林中，汹涌的潮水一下子将它冲在石头上，它被撞晕了过去。醒来后，它想游回到喀纳贝湖去，但潮水将尽，水太浅，它已无法游回去了。这是一条即将搁浅的小鱼，也是三个小家伙可以吃的美食。老二扑通跳进积水中，踩着稀泥浆叼住小鱼的尾巴用力拖拽，想将它拖上小土堆来享用。老二的嘴刚刚咬住鱼尾的时候，旁边混浊的泥浆里突然蹿出两只直径达一米的蛇颈龟来。蛇颈龟，顾名思义，就是说这种龟的脖子像蛇一样长，它是生活在侏罗纪的两栖类爬行动物。这两只蛇颈龟背壳黑灰，与混浊的泥浆融为一色，伪装十分巧妙。老二事先一点儿也没察觉，直到蛇颈龟从泥浆里冒出来，它才大吃一惊，转身欲逃，但已经迟了，两只蛇颈龟闪电般地伸出长长的蛇状脖颈，分别咬住老二的两条后腿。可怜的老二，根本无法与它们抗衡，挣扎着扑腾起几片水花，一眨眼工夫就被活活撕成两半……老三和淑吓得灵魂出窍，转身就逃，幸亏这时候湖水已经退潮，它们可以在泥地上爬行了，于是就一口气逃出了红树林。

四兄妹只剩下老三和淑了。老三也是雌性，比淑早出壳，也算是姐姐吧。姐妹相伴，躲进茂密的灌丛，靠啄食昆虫度日。可仅仅过了七天，灾难便再次降临。那天中午，老三和淑在灌丛里相伴觅食。灌丛里昆虫种类倒是不少，有苍蝇、飞蝗、石蛾等，但昆虫会飞，不易捕捉，姐妹俩忙活大半天，只能吃到一两只飞蝗，还不够塞牙缝呢，所以它们饿得饥肠辘辘、头晕眼花。这时，老三眼尖，看到灌丛外有一条十几厘米长的红蚯蚓，正蠕动着往土壤里钻，便急忙蹿出灌丛，一口咬住红蚯蚓。红蚯蚓发觉自己被咬住后，就更加拼命地往土壤里钻，老三也拼命地往外拔，双方展开了一场生死拔河比赛。淑在灌丛里看见了，便想爬过去帮老三一把，当然，也是想和它分享这美味佳肴。可还没等淑爬出灌丛，突然，不知从什么地方蹿出一只腔骨龙。只见它张开大嘴，啊呜一口，将老三连同那条半尺长的红蚯蚓一起吞了进去……淑赶紧缩回灌丛深处躲了起来。

淑成了澄二代中唯一的幸存者。它变得格外胆小，整天都躲藏在灌丛中不敢出来，饿了就找几只昆虫充饥，渴了就舔食草叶上的露珠，天一黑就一动不动地蛰伏在荆棘缠绕的灌丛深处。就靠了这份谨慎，淑才得以存活下来。一年后，淑发育成熟，变成一个成年雌性，进入了繁殖期。

第十章　犬齿甲龙的崛起

屼发明用擂台赛的办法来筛选配偶，效果奇佳。屼这个物种的成年雌性正常情况下一窝产十多枚卵，但屼一窝竟产下了五十多枚卵，这在它的家族中算得上奇迹了。一个物种要想兴盛，首先就得个体的“家丁”兴旺。对处在高度竞争下的动物来说，一窝产下的子女数量当然是越多越好。假设幼崽存活率是百分之二十，一窝产下十枚卵，那么就是说最后有两个小家伙能够长大，而一窝产下五十枚卵，那么就是说最后有十个小家伙能够长大。对整个家族的繁盛而言，这无疑是个革命性的进步。

屼产的卵不仅数量多，质量也出奇的好。比普通的卵足足大了三分之一，匀称而饱满，卵壳厚实而有弹性，流动着生命的光泽。

屼是在钦瑙伦河边一个名叫黄金滩的地方产卵的。

三个月后，孵卵坑里的卵开始出壳。屼是这个种群中最优秀的雌性，与它交配的燎是这个种群中最优秀的雄性，它们的后代就是强强联手产下的后代。屼产下的五十多枚卵全部成功出壳，孵化成功率百分之百。小家伙们蹭破卵壳钻出来后，马上朝有光亮的地方爬去，在太阳下晒干身上的黏液后，就立刻开始捕捉昆虫、蠕虫和一切它们能吞咽进去的东西，显示了强大的生命活力和适应能力。它们生长极快，两个月后，背上的皮肤就变得十分厚韧，能抗得住小盗龙的噬咬。四个月后，嘴里就利牙交错，尖利的牙齿能一口咬碎小型恐龙的脑袋，可见其锋利程度。

在屼的众多子女中，有一个雌性特别出类拔萃，那就是屿。

屿就是岫三代。

屿长得腰圆膀阔，四肢粗壮，背甲特别厚韧，嘴里利牙交错，两只眼睛透出一股凶光。这副模样，用今天人类的审美标准来衡量，可以称为母夜叉了。但在崇尚力量、流行暴力美学的侏罗纪时代，谁最有力量，谁就是最美的，用这个标准来衡量，屿算得上是绝色美女。

在一亿多年前，让辽西大地所有生灵见了都会颤抖的新一代恐龙——犬齿甲龙，就这样登上了侏罗纪的生命舞台。

第十一章　受抑制的母性

澄二代淑冷漠地瞟了埭一眼，别过头去，不予理睬。

埭是个年轻的雄性，这会儿正起劲地在淑面前跳求爱舞蹈。地球上的动物婚配，通常都是雄性求爱，雌性接受求爱。侏罗纪的恐龙也不例外。绝大多数雄性恐龙的求爱方式是雄赳赳、气昂昂地来到雌性面前，昂首挺胸，尽量向雌性展示自己高大的身躯、健壮的四肢和充沛的体力，目的是要告诉对方：

——瞧瞧，我的肌肉是多么发达，我的四肢是多么有力，我追起猎物来快如疾风，我从来都不会饿肚子。与我婚配吧，这样，你生下来的小宝贝将得到更多的生存机会！

在一亿多年前的辽西地区，唯有淑这个物种的求爱方式与众不同。雄性不是向雌性展示体魄、炫耀武力，而是用旋转、摆动、踢蹬、侧行等一串优雅的动作，来告诉雌性：

——瞧瞧，我的头脑反应很快，我的身体十分灵活，我机警而又敏感，我能及时发现敌害，我逃命的速度无与伦比，我逃生的技艺是第一流的。与我婚配吧，你生下的小宝贝能像我一样躲过种种灾祸而获得生存权！

这就是所谓的求爱舞蹈。

将逃命能力作为炫耀资本，是淑这个物种无奈的选择。

一亿多年前的侏罗纪，完全受弱肉强食这条规律支配，谁更强壮谁就更有存活机会，于是，各个物种之间就悄然拉开了一场激烈的体格竞赛。不知怎的，别的爬行类种群都是身体越来越强壮，而淑的家族的身体却越来越瘦小，成年雄性的体长连头带尾不足七十厘米，是侏罗纪庞大爬行类动物中最弱小的一族，是标准的弱势群体。作为弱势群体，它们一生最大的奢求，就是避免被强势动物吃掉，尽可能活得久一些。

于是，就有了这种炫耀逃命能力的求爱舞蹈。

公平地说，埭是个挺不错的求爱者。它的身材比同类雄性要稍稍高大些，年轻而充满朝气，一双明亮的眼睛神采奕奕。它的皮肤光洁度很高，这证明它身上没有讨厌的寄生虫。它的动作刚劲而又风度翩翩，属于那种很会讨雌性欢心的雄性。现在正值春意盎然的繁殖季节，成年动物体内的生物钟都指向了发情期，每一个都春情荡漾，都在积极寻找自己所中意的配偶。换了任何一个雌性，在这样一个美妙时刻，面对埭这样挺不错的追求者，面对眼花缭乱的求爱舞蹈，都难免会春心摇曳，成为爱情的俘虏。可是，淑却不为所动，而是低垂尾巴，左躲右闪，以避免彼此肌肤接触，做出一副明显的谢绝爱情的姿态。

埭跳累了，气喘吁吁地停了下来，用困惑的眼光望着淑，发出委屈的叫声，像是在责问：

——你干吗对我不屑一顾？是嫌我长得太丑，让你讨厌？还是嫌我求爱舞蹈跳得太差劲，玷污了你的眼睛？

淑温婉地垂下头，谦恭地压低身体，嘴里发出柔和的叫声，表达自己诚挚的歉意：

——你英俊潇洒，你舞艺高强，不是你配不上我，是我配不上你，千错万错都是我的错！

埭没有死心，休息了片刻，又接着跳起求爱舞蹈。它不晓得淑为何不为所动。或许是出于雌性的一种矜持吧，也有可能是出于一种对求爱者的考验，它想。埭在情场上从来都是一帆风顺，它对自己的求爱能力非常自信。曾经有一个名叫洋的雌性，骄傲得像位公主，许多雄性都在它的面前碰了一鼻子灰，但它却抵挡不住埭的爱情攻势。埭只在洋面前跳了一段求爱舞蹈，洋就满心欢喜地投入它的怀抱。以往无数次成功的经验让埭产生了这样一种习惯性思维：它在求偶的道路上无往而不胜，在它面前没有攻不破的爱情堡垒；它坚信，它的求爱舞蹈有一种无坚不摧的神奇力量，之所以还没取得预期效果，是因为火候还不到，精诚所至，金石为开，只要它坚持，就一定能叩开淑爱的心扉。于是，年轻的埭抖擞精神，更卖力、更疯狂地跳起舞来。

它忽而直立，忽而旋转，忽而翻滚，忽而跳跃，忽而躲闪，忽而奔跑，忽而舞动，尽心、尽力、尽情表演。

再古板的雌性，面对如此热烈的求爱舞蹈，也会如痴如醉。

即使是铁石心肠，也应该被对方执着的爱感动。

可令埭惊诧的是，淑脸上毫无激动、喜悦、羞涩的表情，而是像个泥塑木雕般地呆立在一旁，仿佛根本就没看见它在跳舞。

埭气得哇哇直叫：

——你是聋了还是瞎了？你的心是用石头做的吗？

淑紧走几步，与埭拉开距离：

——对不起，我没兴趣谈情说爱，你别在我身上浪费时间了，天涯何处无芳草，请你去找别的雌性吧。

逮感到迷茫、气馁、郁闷、沮丧。站在逮的立场上来说，逮的确应该感到委屈。淑已经不年轻了，它已满五岁，虽有几分姿色，但也已徐娘半老，脸上有了不少岁月风尘镌刻的皱纹。反过来说，无论从哪个方面衡量，逮都是这个种族的佼佼者，像淑这个岁数的雌性，能得到逮这样的雄性青睐，应该说是一种幸运，是可遇不可求的幸福，还有什么可挑剔的呀？逮已经在淑面前跳了两次求爱舞蹈了，付出的越多，期望值就越大，幻想破灭后所遭受的打击也就越大。像逮这样一个优秀的雄性，过去每一次撒出的情网都会有收获，这还是它头一次遭到如此生硬的拒绝，而且拒绝它的还是一个姿色不再的半老徐娘，这让它的自尊心遭到前所未有的重创。雄性都有这样的心理：如果遭到了雌性的拒绝，这就意味着对方看不起自己。越是得不到的就越珍贵，越是得不到的就越想得到，怒火在逮的胸中熊熊燃烧。现在的场景应了句俗话：怒从心底起，恶向胆边生。对逮来说，此时此刻要得到淑，已不仅仅是要满足繁衍的本能，而是要维护雄性的自信和尊严。它凶猛地扑向淑，撕扯啃咬，企图用武力逼迫淑就范。淑想逃避，但逮奔跑的速度比它快，缠住它不放，它只好以牙还牙，进行反抗。雄性的身体比雌性大，雄性的力气也比雌性大，淑很快就落了下风，背脊被咬破，脖子也被抓伤。虽然它受了伤，但却蜷缩起身体，任凭逮怎么撕咬，就是不愿以身相许。

其实淑并非是要故意拒绝埭，换了其他任何雄性，它同样也会断然拒绝的。它之所以不愿与异性亲近，是因为它实在不愿再做母亲了。

淑遭受的磨难太多太多了。屈指算来，淑已经做了五次母亲，但每一次做母亲，最后带给它的都是椎心泣血的悲痛。

淑第一次做母亲是在四年前，它在一个隐秘的洞穴里产下了四枚卵，抱窝抱了整整三十五个昼夜，好不容易才将卵孵化成功。等小家伙们出了壳，它才松了口气，爬到洞外的小河沟去饮水，来回最多也就十来分钟时间吧。可等它饮完水回到洞穴一看，四个小家伙全都不见了，洞穴里却躺着一只正在打瞌睡的小盗龙。

当年秋天，它第二次做母亲，孵出三个小家伙来。呕心沥血地养了两个月后，三个小家伙已经能跟随在它身后到草丛里寻觅蠕虫了。突然有一天，当它们在一片小树林里觅食时，与一只饥饿的北票龙迎面相遇。北票龙体长两米多，也是侏罗纪辽西地区凶悍的食肉恐龙。面对如此强大的天敌，淑只有仓皇逃窜，可怜它的三个小宝贝，被北票龙一口一个吞进肚去。

第二年春天，它第三次做母亲。这次更惨，它在茂密的草丛里抱了整整三十天窝，夜深人静时，它已经能听见蛋壳里小家伙们蠕动的窸窣声响，顶多再有五天，小家伙们就能蹭破蛋壳钻出来了，但就在第三十一天清晨，一只庞大的雷龙恰巧路过这片草丛。雷龙虽属食草恐龙，但一般体长为二十五米，重达数十吨，是恐龙界名副其实的巨人。雷龙的一只爪子比淑的身体还大，整个身子就像一辆巨大的碾压机，能一脚踩平一片青草地。不偏不倚，这只雷龙的一只后脚掌恰恰踩中淑的孵卵坑，在最后的一瞬间，淑尖叫一声从孵卵坑里逃窜出来，可怜坑里那四个小家伙，还没来得及从蛋壳里钻出来看看这个世界，就被雷龙巨大的脚掌踩成了肉泥，淑躲在一旁目睹了四枚宝贝卵被踩碎的整个过程，心痛得当场昏倒。

一年后，淑心头的伤痛渐渐平复，在春天姹紫嫣红的野花丛中第四次做了母亲。这一次，它耗费了大半年精力，将四个小家伙抚养长大，再过几天，小家伙们就能离开它独立生活了，但就在这个时候，灾难再次降临。那天傍晚，它带着孩子们到喀纳贝湖饮水，刚来到湖边，芦苇丛里突然蹿出两只虾蟆龙，它带着小家伙们拼命奔逃，两只虾蟆龙在后面紧追不舍。四个小家伙毕竟还没完全长大，跑了一段后力气不支速度慢下来，最后，被虾蟆龙一个接一个捕杀，只有淑自己成功逃进灌丛。

淑第五次做母亲是去年秋天。它找了七天七夜，终于在远离喀纳贝湖的一块洼地里找到了一丛名叫狼毒藤的茂密的荆棘地。这里四周都是密匝匝的枝条，就像围了一圈密不透风的绿色围墙，最令它满意的是，那些狼毒藤上长满了一寸长的钩状毒刺，无论什么兽类，一旦被毒刺划伤，皮肤就会红肿溃烂，因此，不管是谁，只要见了这样的荆棘丛都会避而远之绕道而行。淑以极大的耐心，避开那些毒刺，嘴啃爪扒，在泥地里挖沟，花了足足五天时间，挖出了一条蜿蜒曲折、总长达三十多米的泥沟，这成为它出入狼毒藤的安全通道。有了这条通道，淑就在荆棘丛中央孵出了一窝小宝贝。每天清晨，天蒙蒙亮时，它就从弯弯曲曲的泥沟里爬出来，到喀纳贝湖湖畔觅食，等太阳出来后，就从安全通道回到荆棘丛里。布满毒刺的荆棘是抵御敌害最有效的防御武器。果然，整整一个月都太平无事，淑渐渐有了一种生活在坚固堡垒里的安全感。然而就在这个时候，悲剧再次上演，那天中午，它正在荆棘丛里闭目养神，突然听到枝叶折断的哗啦声响，睁开眼睛一看，一只三米多长的鳞甲龙，正撞开密匝匝的狼毒藤钻进来。鳞甲龙，顾名思义，指的是一种浑身长满鳞甲的恐龙，任何毒刺也无法划伤它那坚硬的鳞甲。只见鳞甲龙用力扭动身体，很快就在荆棘丛里开辟出一条通道，血盆大口对准淑的四个毫无反抗能力的小宝宝……无计可施的淑只好独自从弯弯曲曲的泥沟里仓皇出逃。

含辛茹苦产卵，含辛茹苦抱窝，含辛茹苦育雏，到头来却白忙一场，究竟为谁辛苦为谁忙啊？

一次又一次的灾难，一次又一次的心碎，没完没了的恐惧、无穷无尽的担忧，让淑心灰意冷，于是它就压抑了再做母亲的欲望，也断绝了择偶交配的念头。

淑家族中的其他雌性，也都遭受过类似的悲剧。

淑觉得，自己每一次产下的小宝贝，都成了食肉恐龙的食物，就好像自己是专门为食肉恐龙生产食物的机器。它这个种族实在太弱小了，处在自然界中食物链的末端，几乎所有的食肉类爬行动物都将它的种族视为美味佳肴。到处都是贪婪的天敌：美丽的喀纳贝湖湖畔、隐秘的灌丛深处、布满毒刺的荆棘丛里，无论它躲藏在哪里养育后代，都摆脱不了小家伙们被天敌吞噬的厄运。世界很大，很大，但留给淑的种族的生存空间却很小，很小。每一次做母亲都会给它带来肝肠寸断的悲痛，淑不奢望能再做母亲了。它觉得，作为爬行动物中最弱小的一族，在大型恐龙横行天下的侏罗纪时代，它们根本就没有立足之地，根本就无法避免被吃掉的命运，它对自己的种族失望透了，因为它们最终的结局肯定是被众多的食肉猛兽杀绝吃尽。

既然如此，它又何必去做专为凶猛的食肉恐龙生产食物的机器呢?

所以，面对埭的暴力迫胁，它宁死不从。它心里暗暗地想：

——你想撕抓，尽管撕抓好了，你想啃咬，尽管啃咬好了，我宁肯被你撕碎咬死，也不愿再重蹈失子的悲痛了！

埭咬累了，抬眼看看淑。淑已经伤痕累累了，但仍蜷缩身体，夹紧尾巴，丝毫没有要屈从的意思，这让埭感到无趣和无奈。再继续撕咬下去，淑可能就没命了。埭的目的并不是要杀死淑。埭心里清楚，即使咬死了淑，它也没法达到目的。再说，它们这个种族有条禁忌，那就是雄性不得伤害雌性。埭不能无端去触犯这条禁忌。埭只得停止撕咬，愤懑地叫了两声，很不理解、也很不甘心地从淑身边离开了。

淑躺在地上，浑身是血，幸运的是，埭并没伤到它的要害，它活了下来。

第十二章　黑尾巴梁龙的挑衅

岫三代的屿决心扑杀这只黑尾巴梁龙。

侏罗纪恐龙分成两大类，一类是食草恐龙，另一类是食肉恐龙。通常情况下，食肉恐龙是捕食者，食草恐龙是被捕食者，因此食草恐龙畏惧食肉恐龙。

梁龙属于食草恐龙，但却从不畏惧任何食肉恐龙，尤其不把屿这样的中小型食肉恐龙放在眼里。原因很简单，梁龙体长三十米左右，重量有十几吨，是侏罗纪名副其实的巨无霸。俗话说“体大力不亏”，梁龙发起威来，轻易就能将碗口粗的树拦腰撞断，此外，它的两条后腿也很厉害，如果它要踩死像屿这样大小的动物，就像踩死一只蚂蚁那么容易。它的两条前肢在打斗中也可以撕、抓、拍、打。尤其值得一提的是梁龙的尾巴，它的尾巴有十来米长，挥舞起来就像一条长长的钢鞭，这是对付食肉恐龙最有效的武器。曾经有一只恐爪龙，遇到一只体长不足二十米的半大的梁龙，饥肠辘辘的恐爪龙凭着自己那根长达十三厘米锐利如剑的指爪，竟然朝半大梁龙发起攻击，半大梁龙的长尾巴猛地一扫，刚巧扫在恐爪龙的腿上，恐爪龙就被打得躺在地上，半大梁龙随后一脚掌便踩在这只恐爪龙的肚皮上，那架势就像踩烂了一个瓜果一样，恐爪龙的肠肠肚肚顿时就从肛门里喷涌而出。

半大的梁龙就这么厉害，成年梁龙的威力那就可想而知了，所以，梁龙虽是食草恐龙，但再凶猛的食肉恐龙也不敢招惹梁龙，它们大多都采取敬而远之的策略，只要远远地望见梁龙过来，便都知趣地离得远一点儿。

但屿此时却执意要与黑尾巴梁龙争个高低。

即使在成年梁龙里头，这只黑尾巴梁龙也算得上是个佼佼者。它的体长超过了三十米，体重超过十五吨，脖子上肌肉鼓凸，体态上虽然属于巨无霸，但却丝毫不显得臃肿笨拙，奔跑起来脚步轻快敏捷，叫声洪亮，具有旺盛的生命活力。尤其是它那根十多米长的尾巴，漆黑如墨，与众不同，轻轻一摆，十米范围内的杂草灌木齐刷刷地被扫平，力量之巨大，令所有兽类瞠目结舌，一看就知道，这是一只处于生命巅峰状态的壮年梁龙。

屿是岫三代，由于经历了小行星撞击地球所产生的大爆炸，屿已蜕变成新一代的犬齿甲龙。比起祖先岫来，屿的身体已膨胀了两倍多，连头至尾达两米半，但即使这样，屿在这只黑尾巴梁龙面前，仍显得十分渺小，就像一个侏儒站在了巨人面前。

屿要与这样的巨无霸争锋，无疑是螳臂当车、蚍蜉撼大树。

但屿已经是忍无可忍，这才痛下决心要和这只黑尾巴梁龙进行生死搏杀的。

春天是万物复苏的季节，也是犬齿甲龙的繁殖交配期。好女不愁嫁，像屿这样的绝色美女，一旦成熟，身边当然不乏狂热的追求者。阳春三月，屿的肚子就喜结珠胎，它开始忙着产卵了。屿将产床选在阿莫错山西麓山脚一个名叫黄金滩的地方。对卵生爬行动物来说，黄金滩确实是块生儿育女的黄金宝地。这里土地肥沃，植被茂盛，背靠阿莫错山，毗邻钦瑙伦河，不干不涝，日照充沛，最适宜卵的孵化，而且附近有两大食物源：阿莫错山上有各种可口的昆虫，钦瑙河里有数不尽的鱼虾，都为新生的小恐龙提供了源源不断的食物保障。正因为如此，黄金滩历来是各种恐龙争抢的最佳产卵地。

屿在黄金滩的一块洼地里挖了一个孵卵坑，将四五十枚卵产在孵卵坑后，又用浮土将卵盖上。

按理说，屿做完这一切，就算尽到了做母亲的全部责任，完成了做母亲的全部程序，可以扬长而去了。但屿是头一次做母亲，就像天底下所有头一次做母亲的动物那样，它既缺乏经验，也缺乏自信，总琢磨自己选的产房不够隐蔽，总担心会有不速之客找到孵卵坑来偷盗它的宝贝卵，所以产完卵后，它没有扬长而去，而是在孵卵坑附近找了个洞穴住下，然后就经常到孵卵坑周围巡游，以防不测。它要等到小宝贝们平安出壳，然后才能无所牵挂地离去。

没想到，屿的防范措施确实派上了用场。

那是产卵后的第十九天，屿清早爬到钦瑙伦河边吃了两条鱼，然后就回到了孵卵坑旁。春光明媚，阳光普照，孵卵坑四周静悄悄的，一切都很正常。屿放心地爬到一块石头上晒太阳，利用阳光来提升自己的体温，这是冷血动物最喜欢的一种休闲方式。春天的阳光温煦明丽，四周的青草散发出一股清香。屿闭目养神，享受暖融融的阳光。就在这时，那只黑尾巴梁龙出现了。这个侏罗纪的巨无霸旁若无人地来到屿产卵的地方，粗鲁地用前爪扒开孵卵坑表面上的那层浮土，看见一大窝白花花的卵，便一脚跨进孵卵坑去，胡踩乱踏，屿便听到了蛋壳破碎的声声脆响。

屿辛苦产下的一窝卵，连同它初次做母亲的甜蜜与期待突然之间灰飞烟灭，五十多枚宝贝蛋已经成为一摊污浊的泥浆，屿愤怒的心情可想而知。它发疯般地向黑尾巴梁龙冲过去，真想一口咬断它的脖颈，可它刚跑到黑尾巴梁龙身边，还没来得及扑咬呢，梁龙那条巨大的黑尾巴突然间高高竖起，照准它拍打下来，那尾巴就像一棵树倒下来一样。屿见势不妙，赶紧跳开，梁龙巨大的黑尾巴砸在屿刚才站立的位置，竟然砸出一个小小的土坑，扬起一团蘑菇状泥尘。屿刚才要是慢半拍躲闪，此时肯定已被打断脊梁瘫痪在地了。屿惊魂未定，那条黑尾巴又贴着地面气势汹汹地横扫过来，就像一柄长锯一样，所到之处，杂草伏地，灌木也被连根拔起。屿立即转身飞奔，好险哪，梁龙黑色的尾尖就从屿的尾巴处掠过，如果屿跑慢半步的话，它此时已被扫断四肢，肯定会终身残疾了。屿吓得魂飞魄散，连滚带爬逃出了黄金滩。

屿的背后传来黑尾巴梁龙轻蔑的吼声，它似乎在说：

——太不自量力了，跟我较劲，你只有死路一条！

屿算是领教了梁龙的厉害，它不能再干鸡蛋碰石头这样的蠢事了，只好自认倒霉。一窝卵就这样白白被梁龙糟蹋了，它也只能打落牙齿往肚里咽。好在春天才刚刚开始，屿还有补救的机会，梅开二度也不算晚。屿很快再次发情，匆匆找了个配偶，肚子里又喜结珠胎了。它再次来到黄金滩，不过这次它可不敢再在旷野挖露天孵卵坑，而是找了个约两米深的土洞，在土洞里产下了一窝卵。可是这一次更悲惨，因为它刚爬出土洞，就看见黑尾巴梁龙耸动鼻翼从树林里走了过来。屿赶紧蹿进灌丛里躲了起来。别看梁龙脑袋小得与身体不成比例，嗅觉倒很灵敏，它一路走过来，嗅嗅闻闻就找到了屿产卵的那个土洞。因为洞口直径不足一米，所以黑尾巴梁龙庞大的身体是钻不进去的，但只见它转动身体，把屁股对着洞口，将那条长长的黑尾巴像棍子似的捅进洞去，噼里啪啦地搅动了一番，临走时，还撅起尾巴在洞口屙了一泡屎。等到黑尾巴梁龙走远了，屿才敢从灌丛里钻出来，急急忙忙往土洞赶。梁龙不愧是侏罗纪巨无霸，粪便堆得像座小山，把洞口堵得严严实实。屿忍着恶臭，穿粪而过，进到土洞一看，自己刚产下的五十多枚卵，都已被梁龙的尾巴搅得稀烂，无一幸免……

屿甜蜜的理想再次破碎，母性的憧憬再次幻灭。

它想不明白，黑尾巴梁龙干吗要连续两次糟蹋它产的卵？梁龙属于食草类恐龙，只吃素，不吃荤，一般情况下，对其他爬行动物的卵是不感兴趣的。事实也的确如此，这只黑尾巴梁龙第一次是用脚掌踩碎它的卵，第二次是用尾巴搅碎它的卵，都没吃一口就走了。别的恐龙如小盗龙、虾蟆龙等也会觊觎犬齿甲龙的卵，但那是为了填饱肚子，是一种正常的觅食行为。而这只黑尾巴梁龙并不吃卵，却一再捣毁它的卵，行为十分反常，这反常的行为背后究竟隐藏着什么秘密呀？

屿决心揭开这个谜，于是就悄悄地跟随在黑尾巴梁龙的身后。

屿发现了一件让它震惊的事情。这只黑尾巴梁龙，似乎与犬齿甲龙有着不共戴天的刻骨仇恨，它在黄金滩四处寻找雌犬齿甲龙挖掘的孵卵坑，见一个捣毁一个。不仅如此，它还追逐雌犬齿甲龙，见一个打一个。黄金滩是犬齿甲龙产卵的聚集地，许多雌犬齿甲龙辛辛苦苦产下的卵都遭到了黑尾巴梁龙的捣毁。有一只名叫歪鼻子的雌犬齿甲龙，趴在孵卵坑里产卵，刚产了一半，黑尾巴梁龙就来到它的面前，情急之下，歪鼻子在黑尾巴梁龙脚上咬了一口，至多也就咬掉一层皮吧，但黑尾巴梁龙却一脚踩在了它的背上，可怜的歪鼻子，就这样把半窝卵碎在了土坑里，半窝卵碎在了肚子里。

再仔细观察这只黑尾巴梁龙，屿发现，这是一只雌梁龙，腹部鼓鼓囊囊下坠得厉害，哦，看来它也是一位肚子里喜结珠胎的准妈妈啊！

屿算是找到了这只黑尾巴梁龙之所以乐此不疲地捣毁犬齿甲龙卵的终极原因，是因为它也看中了黄金滩这块风水宝地，想在黄金滩产卵。为了给小梁龙们创造一个没有敌害的优良的生存环境，它就仗着自己巨无霸的身体，一心想把所有的犬齿甲龙都驱逐干净，从而独霸黄金滩。

黄金滩是犬齿甲龙最理想的生育基地，在黄金滩产卵，后代的出壳率能达到百分之九十以上，小家伙们出生后的第一个月内的生存率也能达到百分之九十以上，而在其他地方产卵，后代的出壳率通常只有百分之五十，甚至更低，小家伙们出生后第一个月内的生存率仅为百分之三十，甚至更低。毫不夸张地说，黄金滩这块丰腴的土地是犬齿甲龙赖以生存的黄金宝地，关系到犬齿甲龙这个物种的盛衰兴亡。但现在，这只黑尾巴梁龙却要霸占这块黄金宝地。是可忍，孰不可忍！生存利益之争，是不可妥协也不可调和的矛盾。现在摆在犬齿甲龙面前的只有两种选择，要么放弃黄金滩，要么与黑尾巴梁龙决一死战。

屿勇敢地选择了后者。黑尾巴梁龙已经糟蹋了它两窝卵，杀子之仇，一定要报！屿觉得，黑尾巴梁龙虽然强大，却并非不可战胜。黑尾巴梁龙虽然体态庞大，犬齿甲龙虽然体态弱小，但梁龙属于食草恐龙，犬齿甲龙属于食肉恐龙，从精神层面上说，食肉兽比食草兽更强悍；再者，在黄金滩，黑尾巴梁龙孤身一个，而犬齿甲龙却成百上千，犬齿甲龙在数量上占绝对优势。只要犬齿甲龙群起而攻之，是有可能扑杀这只貌似强大的黑尾巴梁龙的。

关键问题是，如何才能做到群起而攻之。

许许多多雌犬齿甲龙也都经历了辛辛苦苦产下的卵被黑尾巴梁龙捣毁的悲剧，共同的深仇大恨形成了同仇敌忾的思想基础，但仅凭这一点是远远不够的。要知道，在遥远的侏罗纪时代，恐龙属于冷血动物，冷血动物天生缺乏感情，基本上都是独来独往的，它们既无家庭观念，也无集体意识，完全就是一盘散沙。屿必须要想个办法，让一盘散沙捏成一个铁拳。

屿苦思冥想了好几天，终于想出了一个绝妙的办法。

第十三章　到树上生活

因为拒绝交配而被棣撕咬的伤口刚刚痊愈，淑又被一个名叫圳的雄性纠缠上了。

圳是一个普通的雄性，体型中等，舞姿也很一般，唯一有特点的是它那双深邃的蓝眼睛，蓝得就像喀纳贝湖水一样，似乎还带有几分忧郁。

现在正值春光烂漫的季节，窈窕淑女，君子好逑，淑目前仍是一个未产卵抱窝的单身雌性，总免不了会被求偶心切的雄性纠缠、追逐。

这很麻烦，淑却也无可奈何。

淑认定这样一条宗旨：不管对谁，我一律都关闭爱的心扉。

幸运的是，这次纠缠淑的圳，性格不像埭那般粗野鲁莽。圳也多次使出浑身解数在淑身边跳求爱舞蹈，跳到筋疲力尽，淑的一颗芳心仍不为所动。见此情形，圳虽也露出委屈和恼怒的表情，却没有暴跳如雷地扑上来撕咬，而是垂头丧气地蜷缩身体，用迷惑不解的眼光久久地凝望淑。

这让淑稍感宽慰，因为它害怕再次遭到雄性的暴力侵犯。

圳不仅不像埭那般粗鲁，而且非常有耐心，一连在淑身边纠缠了五六天，求爱舞蹈跳了上百场，可求爱却一次次碰壁，希望也一次次落空，但始终都没有要离去的意思，仍是不分昼夜地追随在淑身后，就像粘在淑身上的牛皮糖，那股劲头，着实让淑感到头痛。

——我早已心如枯井，比你雄壮得多，也英俊得多的雄性我都拒绝了。继续待在我身边，你只能是白白浪费时间和精力，你应该知难而退！

——灌丛里有许多好姑娘，东方不亮西方亮，快到别处去寻花问柳吧！

——良辰苦短，春宵一刻值千金，哎哟哟，你还在这里磨蹭什么呀！

遗憾的是，圳似乎缺乏自知之明，不论淑怎么规劝，它就是赖在淑身边不走。

——只要功夫深，铁棒磨成针。我相信，就算你的心是用冰做的，我也能用我火热的情怀把它融化。

——你赶不走我的，我决心做一个永不回头的爱情守望者。

淑只能摇头叹息。

淑不知道圳为何对它这样的半老徐娘还死追不休，有两种可能：一种可能是圳的脑子现在不太清醒，因为许多雄性到了发情期，都会发痴、发狂、发癫、发疯，出现脑子“短路”的现象；另一种可能是圳属于那种被爱情遗忘的雄性，因为它自身条件一般，所以很难得到异性青睐，很难交到桃花运，现在好不容易有个追求爱情的机会，因此便格外执着。淑猜想，圳属于后者的可能性更大些。

好在时光如流水，春光明媚转眼便到了春意阑珊。随着季节变化，动物们的发情期也进入尾声，再过些时日，它们体内的生物钟就不再指向发情期。到了那个时候，圳就会失去追逐异性的兴趣，也就不会再纠缠淑了。

那就来比一比谁更有耐心吧。

但就在这个时候，事情发生了戏剧性的变化。

这天清晨，淑到喀纳贝湖寻找食物。之所以清早出来觅食，是因为在这个时候，大部分凶猛的食肉恐龙都还在睡觉，所以对淑来说，这是一个较安全的时间段。圳照例跟在它的身后。可它们刚爬到湖畔时，从礁石后面突然蹿出一只虾蟆龙来。对淑这个种族而言，虾蟆龙是它们最危险的敌人之一。淑惊恐万分，立刻扭头奔逃。虾蟆龙急忙尾随其后。虾蟆龙体态肥硕，胖头胖脑，动作不是很灵活；淑体态苗条，精精瘦瘦，动作机灵敏捷。虾蟆龙虽然略显笨拙，但体大步子也大；淑虽然反应机敏，却体小步子也小。因此，论奔跑速度，双方难分上下。

淑竭尽全力狂奔，虾蟆龙则竭尽全力狂追，双方在湖畔沙滩上展开了一场生死角逐。跑了约七八百米，由于气力不支，淑的速度渐渐慢了下来。虾蟆龙的身体壮实，耐力显然要强得多，仍气壮如牛地快速追撵。双方的距离因此而渐渐缩短。平坦的沙滩上，只有零星几丛野草和一些礁石，没有可供淑躲藏的灌丛或树洞。又跑了五六百米，双方仅相距两三米了。淑感到越来越恐惧，感觉生的希望越来越渺茫。如果再继续这样跑下去，淑顶多还能坚持跑一两百米，就会被虾蟆龙擒获咬杀。淑已完全绝望了，除非发生奇迹，否则今天自己必死无疑，现在它只是在强烈求生愿望的驱使下，竭力勉强奔逃。

又跑了一小段，淑气喘吁吁，快跑不动了，虾蟆龙离它仅一步之遥了，它已经感觉到虾蟆龙嘴巴里喷出的那股血腥的气息。此时，淑力气已经耗尽，求生意志也差不多快崩溃了。就在这节骨眼上，突然，野草丛里蹿出淑的一只同类，在虾蟆龙和淑之间一跃而过，将虾蟆龙的视线吸引了过去。虾蟆龙转而改变了追击目标，气势汹汹地朝那只突然冒出来的淑的同类追了过去。

筋疲力尽的淑总算获得了一个喘息的机会。

开始，淑以为是自己运气好，在生死关头老天爷给它送来了一个替死鬼。淑是这么想的：那只突然冒出来的同类，也像自己一样，是清晨出来觅食的，无意中发现虾蟆龙正在追撵淑，于是就躲进野草丛去，想等虾蟆龙将淑擒获离开后再出来继续觅食，哪料到淑竟然逃到它躲藏的野草丛来了，它便急忙从野草丛里蹿了出来，想夺路奔逃，惊慌失措间却选错了逃跑路线，竟然蹿到虾蟆龙面前来了，导致虾蟆龙改变追击目标，稀里糊涂做了替死鬼。

淑暗自庆幸，还好出现了替死鬼，它正好可以趁机逃生。它趴在地上喘了口气，恢复了些许力气，便想拔腿逃往灌木丛去。虾蟆龙还在紧紧追逐那个替死鬼，它们现在与淑相距约一百多米。淑已迈开步子，却忍不住好奇，扭头朝正在仓皇奔逃的替死鬼瞥了一眼。它并非要对替死鬼感恩戴德，只是想看看这个顶替自己去喂虾蟆龙的同类究竟是谁。

这不经意的一瞥，改变了淑的命运，也改变了淑所属种族的进化方向。

淑的视力颇佳，再加上这是一个无雾的早晨，空气被露水擦洗得一尘不染，能见度极高，淑一眼就看清，那个正在沙滩上仓皇奔逃的替死鬼竟然是苦苦追求了它十来天的圳！

淑记得很清楚，清晨自己动身前来喀纳贝湖觅食时，圳像影子似的跟在自己身后，当虾蟆龙从礁石背后蹿出，迎面向它扑来时，它心急火燎地只顾逃命，早就将圳忘到了九霄云外。俗话说，夫妻本是同林鸟，大难临头各自飞，它与圳并非夫妻，圳就是一个被它拒之门外的失败的求爱者。面对凶暴的虾蟆龙的攻击，淑以为，圳肯定被吓得屁滚尿流，一看虾蟆龙将捕捉目标锁定在淑身上，肯定就会立刻掉头逃窜，逃到茂密的灌丛躲藏起来了。淑不敢奢望圳会在危急关头出手援救。事实上，淑的种族身体小，胆子也小，生性有几分懦弱，面对凶悍的天敌，即使是正在缠绵交配的夫妻，也一定会各自夺路逃窜。淑做梦都不敢想，圳会在它即将遭到虾蟆龙扑咬的节骨眼儿上，勇敢地跳出来，把死的危险引向自己，把生的希望留给了它。

现在淑明白了，绝非是它命大、福大、造化大，在命悬一线时遇到了什么替死鬼，而是圳冒着九死一生的危险及时向它伸出了援救之手。

一股暖流在淑的胸中激荡。

在开阔的喀纳贝湖沙滩上，虾蟆龙正在追捕圳。虾蟆龙是一种依水而居的两栖类恐龙，在水里的威力比在陆地上的威力更大，所以它采用堵截战术，封锁圳逃往湖岸灌丛的企图，竭力将圳往湖里赶。圳则想方设法要往湖岸的灌丛里逃。双方在沙滩上绕着圈子。

淑已经脱离了危险，按理说，它应该抓住这个来之不易的求生机会，赶紧逃离凶险的沙滩，逃往安全的灌丛去。它的确也想走，可它的四条腿却像灌满铅一样，沉重得迈不开步。它溜之大吉了，那圳怎么办？圳虽然是雄性，但也绝对不是虾蟆龙的对手，在无处躲藏的平坦的沙滩上坚持不了多久，就会被虾蟆龙追上咬杀。在危急关头，圳向它伸出了援救之手，它能撇下圳不管而只顾自己逃命吗？如果它真这么做了，它的良心将一辈子得不到安宁。

投桃报李，它也应该留下来与圳同患难，共生死。

淑躲藏在礁石背后，一面养精蓄锐，一面观察沙滩上的生死角逐。

开始时，圳精力充沛，逃得很快，但在沙滩上逃了几圈后，速度明显慢了下来，它与虾蟆龙之间的距离越缩越短。

当虾蟆龙臭烘烘的大嘴快要咬住圳的尾巴时，淑瞅准时机，突然从礁石背后蹿出来，在虾蟆龙和圳之间一闪而过，将虾蟆龙的注意力吸引到自己身上来，让它来追自己，以便使圳获得喘息的机会。

淑相信，当自己疲惫时，圳也一定会用同样的方式来救自己的。

果然，淑在沙滩上跑了几圈，感觉快力不从心时，圳又从礁石后面蹿出来，及时将虾蟆龙引开了。

淑和圳就像是在表演一场精彩的接力赛。

在被虾蟆龙尾随追撵时，淑的确是有一种危在旦夕的恐惧，但与刚才独自应对虾蟆龙追撵时相比，除了恐惧的感觉外，淑的心里油然产生了另一种感觉，一种同甘共苦、同舟共济的幸福感。更奇怪的是，淑内心的恐惧感不断被幸福感稀释淡化，它不再感到害怕，而是一次次勇敢地从礁石背后蹿出来，不断地与圳进行这场接力赛，转移虾蟆龙的视线，以这种方式来保护彼此。

虾蟆龙的耐力再好，也无法应付淑和圳的接力赛。几个回合后，虾蟆龙就成了强弩之末，追撵的速度渐渐放慢。淑断定，它和圳顶多再来两三次接力，虾蟆龙就会累得上气不接下气地瘫倒在地，这场生死角逐就会停止。

然而，事情并没有淑想象的这么顺利。

当淑在沙滩跑了两圈感觉疲惫时，圳及时从礁石背后蹿出来，在虾蟆龙和淑之间一闪而过，但这一次不知道为什么，圳并未能干扰虾蟆龙的视线，换句话说，虾蟆龙并未改变追击路线，仍一心一意地盯着淑追撵，扑咬。圳拐了个弯，再次从虾蟆龙和淑之间一闪而过，并冲着虾蟆龙那张丑陋的脸哇地尖叫一声，那是在提醒虾蟆龙：

——你瞧，我离你更近，更容易捕捉，你应当将我作为猎物的！

然而，虾蟆龙对圳似乎视而不见、听而不闻，还是一门心思地盯着淑不放。这可恶的虾蟆龙，一定是在被多次戏弄后，体力渐渐耗尽，蠢笨的脑子突然开窍了，晓得自己再频频更换追逐目标，最终将一无所获，便及时调整策略，由三心二意变得一心一意，死盯着一个目标穷追到底。淑这么一想，心里愈加慌乱，奔逃的步子也变得凌乱。霎时间，虾蟆龙与淑之间的距离只有一步之遥了。咝——淑感到尾部传来一阵刺痛，哦，是虾蟆龙那尖利的爪子撕抓到了自己的尾巴。

情形万分危急，淑现在命悬一线。

就在这时，圳再次跟了上来，在虾蟆龙面前晃了晃，不过紧接着好像在沙滩上的鹅卵石上滑了一跤，它突然一个趔趄，摔倒在地，狼狈不堪地在地上打了两个滚，粘了一身金黄的沙子，它心急火燎地想爬起来奔逃，但似乎崴伤了脚，瘸瘸拐拐，仄仄扭扭，歪歪斜斜，一副欲倒不倒的样子，它那蓝眼睛里现在充满了凄楚和绝望，还连续发出一声声哀鸣，好像是在告诉追捕者：

——我已经受了伤，你不费吹灰之力立马就可以抓到我！

对饥饿的虾蟆龙来说，这无疑是难以抗拒的巨大诱惑。

虾蟆龙毕竟属于蠢笨的低智商爬行动物，见此情形，两只鼓突的眼睛里闪烁着贪婪的光，它急忙改变了追击路线，扔下筋疲力尽的淑，转而兴高采烈地向圳扑了过来。

淑又一次安然脱险。

虾蟆龙刚扑到圳身边，圳突然就恢复了正常，敏捷地一跃而起，撒腿就跑。虾蟆龙傻了眼，明白自己上当受骗了，却又舍不得就这样放弃这场狩猎，于是就拼出最后一点儿力气追撵圳。圳刚才已在礁石背后小憩了一阵，体力有所恢复，所以跑得很猛，很快就将虾蟆龙甩出十多步远。双方又在沙滩上奔跑了两圈，虾蟆龙再也支撑不住了，一头栽倒在地，趴在沙滩上，嘴角泛起了白沫，大口地喘息着，发出怨恨而又无奈的号叫。

虾蟆龙的力气已经耗尽，无奈只得放弃这场狩猎。

淑和圳首尾相随，从容地撤出沙滩，钻进了茂密的灌丛。

就在它们钻进灌丛时，刚巧遇上一群刚孵化出壳、正爬向喀纳贝湖的中国龟。小龟仅有银杏树叶大，背壳还未甲胄化，对淑和圳来说，这些小龟无疑是嫩生生、香喷喷的美味佳肴。淑和圳敞开肚皮吃了个饱。

暮春的天气，阳光暖融融的，空气中还弥漫着一股馥郁花香。此刻正是春情浪漫的季节，圳又跳起了求爱舞蹈。说实话，圳的舞姿很一般，但它那双温柔的蓝眼睛，似乎有着一种难以抗拒的力量，促使淑向它敞开爱的心扉。淑明白，要是没有圳，自己此刻早已变成虾蟆龙肚子里正在消化的食物了。圳冒着九死一生的风险救了自己，自己还有什么舍不得给圳的呢？共同经历生与死的考验，双双步入婚姻的殿堂，这似乎是顺理成章的事。

淑这几个月以来一直坚守的不再交配繁殖的决心，刹那间土崩瓦解。

淑很快又要做母亲了，套一句现代人类社会惯用的语言，就是说淑和圳有了爱情的结晶。淑又感受到了即将做母亲的甜蜜。

然而，恐惧伴随着甜蜜油然而生。淑为肚子里小宝贝的命运担忧。它和圳四处寻找合适的产卵地点，但找了好几天却仍未找到。大地广袤无际，但留给淑孵卵的地方却少之又少。喀纳贝湖湖畔草肥水美，是理想的育雏之地，但到处都是凶悍食肉兽的踪迹；怪石嶙峋的山上相对来说少有食肉恐龙光顾，但那里却远离水源和食物，所以在那儿，它们也难以养活小宝贝。要找一个既安全又食源充足的地方，就像在沙里淘金一样难以寻觅。淑已经经历了多次辛辛苦苦孵化的卵被天敌吞噬的悲剧，它不能再作为凶猛食肉恐龙生产食物的机器了。它一定要为即将出世的小宝贝找到一个既安全又富饶的出生地。可它苦思冥想，想得脑袋都快爆炸了，也没想出什么好主意来。

这天黄昏，它和圳来到离喀纳贝湖不远的一片银杏树林觅食。银杏树被今天的人类称为“活化石”、“孑遗植物”，但在一亿多年前的侏罗纪时代，银杏树是雄伟、漂亮、年轻的树种。淑这个物种属于杂食性动物，既吃荤又吃素，银杏树上掉落下来的银杏果，含有大量脂肪，也是淑这个种族喜爱的食物之一。淑在草丛里捡食银杏果，忽然听到树叶哗啦啦地响，它抬头望去，在葱绿的树冠间，有一条红黄相间的小蜥蜴正在捕捉躲藏在叶丛里的小昆虫。小蜥蜴很快就隐没在叶的海洋里不见了，但淑却看到了令它怦然心动的景象：树冠像把巨伞撑在半空，火红的晚霞如瓢泼大雨般罩在树冠上，将绿的树冠染成金色，鱼尾状的银杏树叶犹如无数闪闪发亮的绿星星，晚风袭来，树叶婆娑起舞，就像是在向淑热情招手。

刹那间，一个伟大的、划时代的灵感在淑的脑海里诞生了：离开地面，到树上去生活！

第十四章　生死搏杀

屿所谓的绝妙办法，就是利用自己的美色，把尽可能多的雄性吸引到自己身边来，并用交配权作为诱饵，激发雄性狂热的斗志，共同扑杀庞大的黑尾巴梁龙。

简言之，这就是性选择。

在有性繁殖的动物里，与谁交配的选择权通常掌握在雌性手里，雄性通常是被动地接受选择。所谓性选择，就是雌性利用自己掌握的选择权，迫使渴望得到交配权的雄性去做出符合雌性意愿的某些行为。

对动物而言，性选择是一种强大的淘汰机制。许多物种正是因为性选择而进化、演变成现在的模样。例如孔雀，由于雌孔雀都愿意和尾羽大而艳丽的雄孔雀交配，所以雄孔雀便不顾尾羽大所带来的行动笨拙、易遭天敌捕捉的危险，而努力使自己的尾羽长得越来越夸张。有人曾这样断言，假如美丽的女性都喜欢倒立的男性，那么现在满街可能都是倒立行走的男人。

性选择早在侏罗纪就已经开始，在这颗蔚蓝色的地球上，屿恐怕是自觉运用性选择来达到自己目的的始作俑者。

屿要做到这一点并不难。现在正值春情泛滥的季节，它爬上一个土丘，迎风抖动自己的身体，让温柔的春风将自己年轻雌性的体味散播开去，这就好比散发出无数张写有芳名的气味名片。很快，就有许多雄性犬齿甲龙接踵而至，它们都希望能得到屿的青睐。众多求偶心切的雄性聚在一起，免不了要受异性相斥这条规律的支配而发生冲突，屿则及时出面，制止这些雄性的窝里斗，它是使众多雄性犬齿甲龙垂涎三尺的大美女，它们当然要看它的脸色行事。屿将目光投向草肥水美的黄金滩，透过一层轻纱似的薄雾，它隐约能望见黑尾巴梁龙那庞大的身影。屿愤怒的眼光紧紧追随着黑尾巴梁龙移动的身影，发出一声声如泣如诉的吼叫，那悲怆的叫声，无疑是在告诉身边的每一位雄性：

——那只黑尾巴梁龙，霸占了黄金滩，踏碎了我产的卵，是我不共戴天的仇敌！

然后，屿又将眼光收回，换成一副凄美的表情，望了望聚集在身边的雄性犬齿甲龙，发出一声声羞羞答答的叫声，无疑是在向追求者们表白自己的心声：

——谁要是能除掉黑尾巴梁龙，帮我夺回黄金滩，我的心就归谁所有。

见此情形，围在屿身边的雄性犬齿甲龙个个都激情澎湃，热血沸腾，摩拳擦掌，跃跃欲试。

屿腰圆膀阔，牙齿格外锋利，是整个犬齿甲龙大家族中的大姐大，在同性中也享有很高的威望，因此它的行为也具有很强的示范效应。许多雌性犬齿甲龙也有着和屿一样的悲惨经历，因此它们也像屿一样对黑尾巴梁龙怀有刻骨仇恨，于是它们也都纷纷效仿屿，向雄性最大限度地施展自己的雌性魅力，将求偶心切的雄性吸引到自己身旁，激励它们向黑尾巴梁龙发起攻击：

——谁要是战斗中的英雄，我们不仅给它胸前戴大红花，我们还把爱的绣球抛给它。

——你想在发情期获得佳偶吗？你想延续自己的血脉、留下自己的后代吗？那你就应该毫无畏惧地用你犀利的爪子，用你尖利的牙齿去咬碎黑尾巴梁龙！

这是世界上最有效的战争动员。

犬齿甲龙本来就是凶猛的食肉恐龙，生性强悍，性情暴躁，再加上被雌性这么一番煽风点火，雄性犬齿甲龙内心便立刻燃烧起熊熊怒火，它们现在变得刀山敢上，火海敢下，龙潭敢入，虎穴敢闯，刹那间，上百只雄性犬齿甲龙就像狂飙一般卷向黑尾巴梁龙。

这是一场惊天动地的搏杀。

黑尾巴梁龙虽然是吃素的，但却是侏罗纪名副其实的巨无霸，上百只犬齿甲龙加到一起也不及它的重量。俗话说“体大力不亏”，黑尾巴梁龙将自己那条钢鞭似的尾巴往左右一甩，四五只犬齿甲龙便应声被打翻在地，断腿折腰，躺在地上发出凄厉的哀嚎；黑尾巴梁龙用自己那粗壮如柱的脚轻轻一踩，一只雄犬齿甲龙立刻就被踩成了肉酱……短短十几分钟时间里，就有十多只犬齿甲龙死于非命，但死亡并没有吓倒犬齿甲龙，反而激起了它们对黑尾巴梁龙更疯狂、更猛烈的扑咬。这些雄性犬齿甲龙前仆后继，生命不止，战斗不息。有一只名叫焊的雄性犬齿甲龙跳到了黑尾巴梁龙身上，顺着它长长的脖颈往上爬，等爬到它的喉管处，便狠狠一口咬下去，黑尾巴梁龙弯下脖子叼住焊的腰，用力将焊从自己的脖颈处往外拔，但焊却死咬住不放。不过最终还是黑尾巴梁龙力气大，只听嘣地一声，黑尾巴梁龙就像拔萝卜似的把焊拔了出来，但焊嘴里的十多枚利齿，却像钉子一样钉在了黑尾巴梁龙的脖子上……又有几只犬齿甲龙躲过梁龙那根左右扫荡的黑尾巴，避开胡踩乱踏的梁龙脚掌，跳到了它的身上撕咬。黑尾巴梁龙这才感觉形势不妙，三十六计走为上，扭转屁股想跑，但已经来不及了，因为有更多的犬齿甲龙蜂拥而上，全都爬到了黑尾巴梁龙身上。黑尾巴梁龙的皮肤虽然厚韧，但犬齿甲龙的牙齿更为锋利，一口下去就是几个深深的血洞，连皮带肉都给咬了下来。黑尾巴梁龙仅仅跑出去一百多米，就已经被咬得浑身鲜血淋漓，变成了一只血龙。黑尾巴梁龙奔逃的速度越来越慢，那根长长的黑尾巴再也无力挥甩抡打，于是，更多的犬齿甲龙把它那长长的黑尾巴当做一架软梯，顺势爬到了它的身上，那情景就像一滴污血上覆盖了一层苍蝇一样，黑尾巴梁龙庞大的身体被上百只犬齿甲龙严严实实地裹了起来，只有脑袋和一小截脖子还露在外面。黑尾巴梁龙失去了还手之力，只能听任犬齿甲龙宰割。这就像在施行凌迟酷刑一样，犬齿甲龙在黑尾巴梁龙身上一口口噬咬，有些饥饿的犬齿甲龙将血淋淋的肉咬下来后，当场就吞进肚去。黑尾巴梁龙声嘶力竭地哀嚎，但号叫声一声比一声微弱，终于，它那张大的嘴再也叫不出声了，噗的一声，它喷出一大口鲜血，庞大的躯体就像座小山似的轰然倒塌……

不可一世的黑尾巴梁龙成了犬齿甲龙一顿丰盛的婚宴

大餐。

犬齿甲龙猎杀巨无霸梁龙的消息不胫而走，震惊了整个辽西地区。许多中小型恐龙再遇到犬齿甲龙就望风而逃，唯恐避之不及，而那些大型恐龙如雷龙、腕龙、合川马门溪龙等，遇到犬齿甲龙也都退避三舍，再也没有谁胆敢闯进黄金滩来与犬齿甲龙争夺这块生儿育女的风水宝地了。

黄金滩又回到了犬齿甲龙手里。

更重要的是，经过扑杀黑尾巴梁龙这一战斗的洗礼，所有雌性都将勇敢、剽悍作为择偶的首要标准，所有雄性犬齿甲龙都把残忍的杀戮作为取悦异性、获得异性青睐并最终得到交配权的必备条件。

性选择的力量无比强大，作为一个物种，犬齿甲龙沿着更强壮、更凶悍、更残暴的道路迅速进化，懦夫因得不到交配机会而被无情淘汰，弱者因在猎杀中容易失败而被自然淘汰，经过生与死严酷的筛选，能留下来的都是些英勇善战的亡命之徒。

既然猎杀大型恐龙是犬齿甲龙婚配最好的庆祝仪式，因此到了发情季节，许多雄性犬齿甲龙会自动地聚集在一起，形成可怕的犬齿甲龙军团。它们逮着谁咬谁，就像一架架高效的杀戮机器。从此以后，犬齿甲龙成了侏罗纪辽西地区令所有动物都闻风丧胆的最强大、最可怕的超级杀手。

第十五章　血泪大迁移

淑爬到高高的银杏树上，找了个口小腹大的葫芦形树洞，打算在树洞里孵卵育雏。

淑这个种族，世世代代都是在地面上生活的，突然要迁移到树上去生活，困难可想而知。

淑遇到的第一个问题是，爬树。在地面时，淑虽然感觉身体轻盈，但在笔直的树干上攀爬，就觉得身体无比笨重。它用尖利的指爪使劲抠住粗糙的树皮，费了九牛二虎之力，累得气喘吁吁，这才爬上树来。淑遇到的第二个问题是，食物不易寻找。不错，树上是有不少蠕虫、昆虫和银杏果，但它们都散落在各个枝杈间，淑在树干上爬行尚且困难，要想在细细的枝丫间觅食，那就更艰难了。有好几次，淑差点儿就从晃晃悠悠的枝杈间摔落下去。淑遇到的第三个问题是，树洞里没有沙土，不适宜孵卵。在地面时，淑会在沙土上刨一个孵卵坑，将卵产在松软的沙土中，沙土会自然形成一个凹形，这样，当它火热的胸脯紧贴卵时，卵被松软的沙土包围，既不会被压碎，又能受热均匀，从而有利于卵内胚胎的发育成熟。而那个葫芦形树洞，洞底硬邦邦的，而且还高低不平，无法将卵平稳地搁置，如果就这样孵卵，卵不仅会受热不均匀，还极有可能被压碎碰破。

对淑来说，当务之急，是要解决树洞洞底不平且太硬这个难题。

它想了两天，还是没能想出解决难题的好办法。想不出办法，它就使劲憋着，不把卵产下来，但俗话说“瓜熟蒂落”，等卵在肚子里成熟到一定阶段，淑就会有一种非要把卵产下来不可的急迫感，到了那时候，淑是很难再继续憋下去的。

淑在葫芦形树洞里急得团团转。

怎么办？好为难，急煞淑，也愁煞圳。

因为肚子憋得难受，淑的脾气便变得急躁，没处出气，便把陪伴在身边的圳当出气筒。圳好不容易从树下草丛里觅得一条蚯蚓，好心好意地送到淑的嘴边，淑含在嘴里，却又噗的一声吐了出来。这条肥嘟嘟的蚯蚓就这样又掉到树下的草丛里去了。淑还气哼哼地埋怨圳：

——你就知道吃吃吃，这都什么时候了！找不到在树洞孵卵的好办法，我哪有心思吃东西？你白长了一双漂亮的蓝眼睛。你这个榆木脑袋，快点儿开窍好不好？赶快想个能在树洞里平安孵化小宝贝的好办法！

可圳的脑袋都快想炸了，也没能想出好办法，它唯一能做的，就是不辞劳苦地再次顺着树干爬下树去，钻进草丛，找到那条掉落的蚯蚓，把它又衔回葫芦形树洞，殷勤地送到淑的嘴边。

这个过程，圳已重复了两次，这是第三次了。与前两次的细微差别是，这一次圳钻到草丛里去寻找被淑故意丢下树去的蚯蚓时，回来时肩头挂了几缕长长的草丝，这是一种名叫紫龙须的野草，草丝细而长，春夏季节开紫色小碎花。由于草丝轻柔，圳并没感觉到自己肩头挂了几缕紫龙须，即使感觉到了，它也不会特别在意，因为在爬草窝、钻草丛时，身上免不了会粘些草叶、草茎、草屑、草丝之类的东西，这并不是什么值得一提的事。

淑大概是憋得太难受了，气呼呼地张嘴朝圳咬来：

——我本来是不想产卵抱窝了，都是你造的孽，你把我害得好苦，我咬你两口才解恨！

圳扭头躲闪，淑一口咬住挂在圳肩头的那几缕紫龙须，顺势将其拽回葫芦形树洞。看着那几缕紫龙须落进树洞底部，突然，淑眼睛一亮，马上想到了一个解决树洞的洞底不平且太硬这个难题的好办法：多叼一些紫龙须进来，在洞底铺上厚厚一层柔软的草丝。这样，它不就能像在沙土上产卵一样，既能将卵搁置平稳，又能使它们受热均匀了吗？

在一亿多年前的侏罗纪时代，淑的这个想法不啻是个可以申请专利的发明。

圳马不停蹄地在银杏树上爬上爬下，一趟趟叼来紫龙须，淑则在银杏树的枝杈间寻找干燥的老叶子，咬下来铺到葫芦形树洞里。夫妻携手，从日头偏西一直干到皓月当顶，终于在葫芦形的树洞里铺起6厘米高的厚厚一层柔软的草丝来。一个困扰了淑很长时间的难题迎刃而解了。

伴随着启明星的冉冉升起，淑在葫芦形树洞里产下了四枚卵。

圳承担起了丈夫的责任。当淑在树洞抱窝时，圳就肩负起觅食重担，到树下寻找食物，找到食物后又爬到树上送到淑的嘴边。一个多月后，四个小宝贝相继平安出壳，圳又承担起做父亲的责任，夜以继日地外出觅食，源源不断地为小宝贝们提供充足的食物。小宝贝们一天天长大，胃口越来越好，淑和圳就互相配合，一个在树洞留守看护，一个外出寻找食物，交替为儿女喂食，它们创造了地球上最原始的家庭形态。

迁移到高高的银杏树上生活，累是累了点儿，因为每天都要在笔直的树干上爬上爬下，要到地面上去觅食，饮水，而且在树上每走一步都要小心翼翼，生怕摔下去，但孵卵的安全系数却大大提高了。四个小家伙一天天长大，大半年后，小家伙们都发育成熟，于是它们便辞别父母，独立闯荡世界去了。

淑在这个世界上活了六年，产过好几窝卵，却还是第一次完完整整地将小宝贝们抚养长大，还是第一次完完整整地享受做母亲的全部幸福。

在地面时，由于天敌众多，危机四伏，淑这个种族的卵的孵化率极低，四枚卵中有两枚能孵化出壳，就已经是磕头碰着天的好事了，如果能将其中一个抚养长大，就是令同类羡慕的美事了。淑能成功地将四枚卵孵化出壳，又成功地将四只小宝贝抚养长大，这在淑这个种族里头，绝对算得上是个奇迹。

凡是奇迹都有示范效应，在淑的同类中，众多在地面上饱受天敌袭扰之苦的雌性纷纷效仿淑往树上迁移。既然在树上生活，后代的存活率能成倍提高，谁还愿意待在地面上呀?

从地面到树上，直线距离通常只有几十米，但对淑这个种族来说，却是一场波澜壮阔的大迁移，是用血与泪书写而成的伟大征服，是光耀千秋万代的历史壮举。

在这场史无前例的大迁移中，有许多年老体衰的、身体肥胖的、行动笨拙的、身患残疾的，爬树爬到一半，就筋疲力尽地从树上跌落下去，轻则伤筋动骨，重则一命呜呼。即使身材轻盈的、动作敏捷的、年轻力壮的，也并非个个都能顺利到达树冠。它们都是头一次爬树，因此动作缓慢而又笨拙，经常向上爬三步，又往下滑两步。最要命的是，它们脱离隐秘的灌丛，搂着树干吃力地往上攀爬，这样就完全暴露在食肉兽的视线中，许多凶猛的食肉恐龙如恐爪龙、小盗龙、异龙等都闻风而至，守候在树下，就像等待树上往下掉果子一样，等待着它们从树干上滑落下来。一只名叫坭的雄性，虽然爬树技巧不高，但年轻力壮，如果努力一下，本来是可以爬到树冠上去的，但当它刚爬到树腰时，便有两只恐爪龙跑到树下张牙舞爪地嗷嗷吼叫，坭吓得心惊胆战，结果一不留神就一脚踩滑从树腰上掉了下去，立刻被恐爪龙犀利的爪子撕成两半。另一只名叫渝的雌性更悲惨。渝带着一双即将成年的儿女一起在一棵高达四十余米的大芦木上攀爬，渝是母亲，当然是让儿女爬在前面，自己在后面压阵。起先它们爬得颇为顺利，妈妈和一双儿女头尾相接排成直线，一口气攀爬了三十来米，眼看离树冠只有十来米的距离了。可就在这时，一只异龙突然出现在大芦木下。这是一只强壮的成年雄性异龙，身长超过十米，它用两条后肢和一条尾巴做支撑，两只前爪抓住树干，身体直立起来，竭力抻长脖子，想咬渝和它的一双儿女。当然，它这样也是不可能咬得到的，异龙的嘴和渝的尾尖至少还相距十五米呢。异龙咬了个空，似乎很生气，于是就张开血盆大口，仰头发出吼叫。异龙的叫声洪亮如雷，有极强的穿透力，而且还喷吐出一股强大的血腥气流，就像平地卷起一股狂风，吹得树冠上的树叶哗啦啦响。爬在最上面的女儿沁，不仅被异龙那震耳欲聋的叫声吓得魂飞魄散，而且还被异龙嘴里喷吐的血腥气流熏得直打哆嗦，一个不留神，便失足从树上滑落下去。更要命的是，女儿沁从树干上滑下去两三米时，恰好经过哥哥坨的身边，出于一种求生的本能，沁伸出了前爪抓住了坨的后腿，这样坨也被从树干上拽落下来。兄妹两个顺着树干继续往下滑，经过渝的身边时，也完全是出于求生的本能，坨伸出爪子揪住渝的一只脚，渝毕竟是成年雌性，应变能力强一些，力气也更大些，它用爪子死死抠住粗糙的树皮，勉强稳住自己的身体，没被立即拽下树去。大芦木高高的树干上，妈妈和一双儿女悬挂在半空，异龙兴奋地朝它们连连吼叫。渝身上吊着一双儿女，这样在笔直的树干上是坚持不了多长时间的。同样也是出于一种自保、求生的本能，渝扭头张嘴朝坨揪住自己的脚的那只爪子咬去，只要狠狠咬一口，坨就会松开爪子，渝就不会被连带着拽下树去了。渝已叼住了儿子坨的那只爪子，牙齿已触碰到坨的爪关节了，可突然间，它却丧失了噬咬的勇气。它是母亲，怎么会忍心咬断儿子的爪子？无论情况多么危险，它也不能伤害自己的儿子啊！它应该想出另一种化险为夷的办法。渝松开自己的嘴，但此时它的力气已经耗尽，这时，异龙又发出一声惊天动地的吼叫，震得树叶哗啦啦响，渝再也支撑不住了，从高高的树干滑落下来。妈妈和一双儿女，就这样，爪子牵着爪子，全部葬身于异龙的腹中……此外，还有讨厌的翼龙，从另一棵更高的树上滑翔下来，就像摘果子一样，将正在往树上迁移的淑的同类们抓走了。可尽管迁移途中有如此巨大的风险，但淑的同类们依然义无反顾，勇往直前，向着高高的树冠攀爬。

迁移到树上后，它们纷纷钻进大大小小的树洞，交配、产卵、抱窝，从此开始了一种全新的生活。

在侏罗纪的中国辽西地区，一个濒临绝境的弱小物种，以牺牲种群一半的生命作为代价，终于脱离了地面险恶的生存环境，爬到高高的树上，从而为种族兴盛开拓了一片崭新的生存空间。

这一历史壮举的开创者是淑，也就是澄二代。

也有少数个体，由于身体、年龄、观念等种种原因，不愿迁移到树上去，而是继续留在地面生活，它们得不到交配、繁衍的机会，只能是苟延残喘，很快就被淘汰出局了。

生存竞争就是这样，一步领先，步步领先；一步跟不上，步步跟不上。

第十六章　黄金滩上的鼎盛

犬齿甲龙成为侏罗纪时代的新宠，它们不但从黑尾巴梁龙手里夺回了黄金滩，还将自己的势力迅速向外扩展，它们占有了最丰沛的水源、最肥沃的草原、最茂盛的树林，这就意味着它们占有了更多的生存资源，为后代开拓了一片更广阔的生存空间。它们本来就是一个高繁殖率的物种，一窝能产五十余枚卵，过去，由于大量天敌存在，它们的卵经常遭到盗窃或践踏，新孵化的小犬齿甲龙经常遭到捕食和屠杀，而且小犬齿甲龙在成长道路上要经历很多磨难，因此从一枚卵发展到一只成年犬齿甲龙的可能性仅为百分之五。可现在不一样了，犬齿甲龙威名远扬，只要是它们的活动区域，别的恐龙休想染指，在犬齿甲龙产卵的地方，庞大的犬齿甲龙军团像秋风扫落叶一般将所有对卵或小犬齿甲龙构成威胁的各种动物都驱逐干净了。个别特别狡猾的小型食肉恐龙如小盗龙和两栖鱼龙，还会在没有月色的漆黑夜晚悄悄摸到犬齿甲龙产卵的地方来偷盗卵吃，但这毕竟是偶尔发生的小规模偷盗事件，对犬齿甲龙的繁殖构不成大的影响。过去笼罩在犬齿甲龙头上的生存危机被彻底化解了，种族兴旺发达的障碍被彻底排除了。犬齿甲龙的存活率大幅度提高，数量呈几何级数增长，种族队伍如滚雪球般壮大。物种演化何等神奇，在小行星撞击地球后仅仅几年的时间内，整个辽西地区就成了犬齿甲龙的天下，尤其是那块繁育后代的风水宝地——黄金滩，再也看不到其他恐龙的踪迹。放眼望去，茂密的草丛里到处都是雌性犬齿甲龙挖的孵卵坑，鳞次栉比，密密麻麻。在小犬齿甲龙出壳的旺季，整个黄金滩黑压压一片，蠕动的小犬齿甲龙几乎覆盖了整个黄金滩。

犬齿甲龙的种群发展到了一个鼎盛时期。

两三年后，一个风和日丽的上午，在黄金滩中央地带一个土坑里，一只名叫岮的岫五代雌性犬齿甲龙，与许许多多其他小犬齿甲龙一样，蹭破蛋壳来到这个世界。刚出壳的岮并没什么特别，也是小而阴沉的眼睛，微微隆起的背甲，长而犀利的四爪。然而谁也没想到，就是崆这样一个貌不惊人的小角色，使得犬齿甲龙的种群开始由鼎盛慢慢步入衰亡。

一个异常强悍的物种在进化的道路上出现了转折点。

第十七章　树洞之争

淑产下了湃，湃又产下了泱，泱是澄四代。

泱和坤并排蹲守在葫芦形树洞的洞口，瞪着布满血丝的眼睛，龇牙咧嘴地发出威胁的吼叫。泱和坤是夫妻。

在对面树枝上，也有一对雌雄同类，也眼睛通红，昂头竖尾，摆出一副跃跃欲扑的搏杀姿势。

残酷的争巢之战已从清晨持续到了黄昏。

泱的祖母——淑，几个月前死了。淑这个物种的最长寿命约为十五年，但事实上，野生动物能活到自己所属物种的最大岁数极为罕见，在淑这个物种里，个体如果能活到十岁，那就已经算是高寿了。淑死的时候是七岁半。当时它是到树下去饮水，突然被一只犬齿甲龙发现了，在逃往树上时，淑的动作慢了半拍，于是犬齿甲龙一个蹿跃把它从树干上拉扯下来吃掉了。

生活在侏罗纪的弱小动物，最后的归宿往往就是被强大的食肉恐龙吞噬掉。

泱继承了祖母淑留下来的那只葫芦形树洞。

自打淑从地面迁居到树上，泱已经是过树栖生活的第三代了。泱这一代在树上孵化，又在树上长大，所以已完全适应了树栖生活。和自己的祖辈相比，它的体态变得更轻盈，能快速地上下树，它的后爪不仅细长，上面的指关节也进化得特别灵活，具有很强的抓握能力，能紧紧地抓牢滑溜溜的树枝，以免从高高的树冠上掉下去。它们的食物范围也更广了，不仅能吃在树上活动的各种昆虫和蠕虫，吃树上结的各种浆果，还学会了在雾气氤氳的早晨，爬到树顶去啄食凝结在翠绿树叶上的大颗大颗晶莹剔透的露珠，或者在下雨时，从树洞里伸出脑袋，舔食绵绵雨丝，这样它们就很少再需要到地面湖泊或溪流里去饮水，也就大大降低了上下树时遭天敌捕杀的风险。毫无疑问，泱这一代的存活率大幅度提高，种族空前繁荣兴旺。

谁也没想到，在表面的繁荣背后，隐藏着一个更可怕的生存危机。

它们这个种族的数量大增，一代代小恐龙长大后，都要交配、产卵、抱窝，都要找个合适的树洞来安家，但并非每棵树上都有树洞。事实上，平均五棵树上只有一个适合它们居住的树洞。有的雌性情急之下，就在两根树枝交汇处的浅浅的凹坑里产卵，但卵产在那里根本无法固定，如果抱窝时稍不留神，卵就会掉下树去摔得粉碎；有的雌性将卵产在最茂盛的叶簇间，但结果更糟糕，卵刚从产道里滑出来，就直接从枝叶的缝隙间掉落下去……无论尝试什么办法，结果都是一样的：没有树洞，就无法产卵抱窝！

所有的雌性都不约而同地调整了择偶标准：甜言蜜语是没有用的，求爱舞蹈也打动不了我，你必须拥有一个树洞，然后我才会考虑嫁给你！

树洞成了繁衍后代必须拥有的、却又十分稀缺的生存资源。

血腥的树洞争夺战不可避免地爆发了。

从清晨到日头偏西，泱和坤已击退了七批虎视眈眈的入侵者。一只名叫坩的雄性的脚爪被它们咬断了，然后掉下树摔死了；一只名叫浊的雌性的尾巴也被它们咬断了，最后它哀嚎着逃进了茂密的树冠中……战斗中，泱的身上受了好几处伤，血迹斑斑的；坤的脖子上也被撕开了一条几厘米长的血口，上腭两枚牙齿被磕断，满头满脸都是污血，模样十分可怕。从清晨到现在，泱和坤已持续搏杀了十几个小时，没喝过一滴水，也没吃过一只昆虫，体力已严重透支，却仍做出精神抖擞、斗志昂扬的样子来，它们心里明白，倘若它们暴露出体力即将衰竭的迹象，将会招来更多凶蛮的掠夺者。

掠夺者的目标就是泱的老祖母淑留下的这个葫芦形树洞。

泱和坤必须死守在洞口，它们没有退路，因为在这只葫芦形树洞底端，有一个草丝铺就的巢，里面躺着泱这几天刚产下的四枚卵。它们晓得，假如它们放弃死守，后果会非常严重，那些杀红了眼的掠夺者就会恶狠狠地钻进树洞来，将它们的卵扔到树下去，然后产下自己的卵。

这是一场关系到后代生命能否存活的厮杀，它们别无选择，只能硬着头皮战斗到底。

此时此刻，对面树枝上站着一对蠢蠢欲动的同类，雌的名叫濞，雄的名叫垛，它们也是一对急于产卵抱窝的夫妻档。

泱尽量抬高胸脯，抻长脖颈，使自己看起来更高大；坤也尽量鼓起腮帮、脖子和肚皮，使自己看起来更强壮。这是一种恫吓策略，只是虚张声势，就是想让对方知难而退。遗憾的是，濞和垛并没被吓退，仍顺着树枝慢慢逼近过来，又一场血腥的搏杀拉开了帷幕。

濞和垛配合得颇为默契，濞频频朝泱撕咬，垛暴风骤雨般地向坤发起攻击。泱和坤已连续战斗十几小时，早就累得筋疲力尽，根本抵挡不住对方凶猛的进攻，只能一步步退却，最后，它们不得不退进葫芦形树洞。坤试图利用洞口狭小这一有利条件进行死守，它把身体缩在树洞里，脑袋堵在树洞口，不断朝对方噬咬，以阻止它们进洞。垛用牙齿撞击坤的牙齿，濞也不顾一切地强行往树洞里钻。坤见濞进洞，急忙扭头阻拦，可垛又趁机挤进树洞来了。小小的葫芦形树洞里拥挤不堪，一场混战正在进行，撕咬、翻滚、挤压……泱清晰地听到自己刚产下不久的四枚卵被踩碎的声响，它的心也要碎了。两对夫妻都竭力想把对方从树洞里赶出去。相比之下，濞和垛的精力更充沛，它们似乎也更有战斗经验。它们集中精力对付坤，你一口我一口，很快，坤便浑身是伤，再也无力对抗，它被濞和垛各咬住一条后腿，拖出了树洞。坤在洞外的树枝上摇摇晃晃爬了几步，再也支撑不住，一头栽下树去。濞和垛便转过身来对付泱，泱明白大势已去，卵已碎，夫已亡，自己再留在树洞里继续抵抗，只能是白白送死，于是便蹿出树洞，顺着树枝逃到树冠上去了。

月亮升起来了，是弯弯的下弦月，散发出冷幽幽的微光。泱蜷缩在树冠茂密的叶簇间，它身上多处负伤，夜风袭来，伤口像针扎似的疼，但更让它痛心疾首的是这场正愈演愈烈的大规模的窝里斗。

泱所属的这个种族，性格善良平和，种群内很少发生流血冲突。泱自打孵化出壳，从未见过如此血腥的自相残杀。不错，到了发情期，雄性之间有时会为争夺雌性而发生争执，但一般都是采用跳求爱舞蹈来比出强弱胜负，即使两个雄性由于所跳的求爱舞蹈难分高低而发生肢体碰撞，它们也会保持克制的态度，当一方气竭力衰转身败退时，另一方也会马上停止攻击，放败北者一条生路，很少有负伤的情况，更别说打得你死我活了。在泱的印象里，生活在这片银杏树林里的同类，曾经彼此和平相处，就像一个和睦友爱的大家庭。刚刚杀死坤、毁了它一窝卵并强占了葫芦形树洞的濞和垛，和泱曾经是相处很融洽的邻居。泱记得很清楚，在它刚刚能独立外出觅食时，有一次，它爬到树冠上去采撷银杏果，一棵树接一棵树地攀爬，不知不觉就离家很远了。这时，老天突然变脸，乌云密布，狂风呼啸，一场暴风雨即将来临，它急忙往家赶，但已经来不及了，豆大的雨滴噼里啪啦地砸在树叶上，打得银杏树林里一片哭泣声。泱当时只有半岁多，独自待在狂风暴雨中是十分危险的。就在这时，它发现身旁有个橄榄形树洞，哦，这个树洞就是濞当年和父母及兄弟姐妹居住的家。泱抱着试一试的态度，爬到橄榄形树洞前，嗷嗷呜呜地发出求救的叫声，濞的妈妈不仅让它钻进橄榄形树洞里避雨，还和濞一起帮它舔干被雨淋湿的身体。

泱做梦也想不到，一向和睦友爱的大家庭，竟然会爆发如此血腥的窝里斗。在荒蛮的侏罗纪时代，它们本来就是一个弱小的物种，天敌无数，天灾无数，在夹缝中求生存，数次都濒临灭绝。如今它们成功地从地面迁移到树上，生存状况好不容易有了点儿转机，却又陷入自相残杀的悲惨境地。

第二天天亮后，泱想重新找个树洞休息、疗伤，但它很快发现，这是难以实现的奢望，因为每一个适合居住的树洞里，都在上演着同类之间惨烈的搏杀。傍晚的夕阳如血，树洞前的血比夕阳更浓。在一个树洞里，有三对夫妻在里面互相厮杀，谁也不肯相让，结果同归于尽，尸体互相纠缠着，将小小的树洞全部填满，血从树洞里溢出来，顺着树干往下流，就像一条红色的丝线，在晚风中荡悠。一只名叫汉的雌性，抱窝抱得早，已孵出四只小恐龙。一对夫妻觊觎汉居住的那只蜂窝状树洞，趁汉外出觅食之际，冲进蜂窝状树洞内，残忍地将四只眼睛还没睁开的小恐龙全部扔下树去摔死，等汉觅食归来，发现已是鸠占鹊巢，家破人亡，便与这对强盗夫妻展开了一场殊死搏杀，结果汉被咬成重伤，坠树而亡。即使那些侥幸夺得树洞者，日子也不见得好过，它们也无法摆脱死亡的厄运。一个名叫漩的雌性和一个名叫堤的雄性，从一对老年夫妇手里夺得了一个椭圆形树洞，又挫败了几拨竞争者，终于得以在椭圆形树洞里产卵抱窝。但它们刚刚经历了恐怖的搏杀，心绪无法安宁，天天提心吊胆，害怕自己靠强取豪夺得来的树洞被别的同类用同样血腥的手段抢了去，所以连睡觉都只敢闭一只眼睛，无论什么时候神经都绷得紧紧的，时间一长，它们的精神几近崩溃。一天半夜，漩正在抱窝，恍惚间听到一声凄凉的号叫，它还以为是同类来争抢这只椭圆形树洞了，于是立刻就跳了起来，冲向树洞口做出一副格斗姿态，可等了半天也不见入侵者的影子，原来只是虚惊一场。漩想回到洞底继续抱窝，可借着从洞口漏进来的月光才发现，自己慌乱间已将四枚已孵了十多天的卵踩碎了。可怜这四枚卵里的小生命，都已发育成形，其中一只发育最快的小恐龙在卵内已能发出微弱的叫声了。漩呆呆地望着一堆破碎的蛋壳，心如刀绞，发出一声撕心裂肺的号叫，它蹿出树洞，奔向茫茫的黑夜，在被夜雾打湿的树枝上做出扑、撕、咬、踢、撞等种种疯狂的搏杀动作，可一不留神，它失足摔下了树……

半个月后，泱身上的伤口渐渐愈合，但它却一直未找到能栖身的树洞，像许许多多同类一样，泱也在树冠间游荡。

这天中午，泱正在树冠间寻找蠕虫，突然，一个名叫墟的雄性从茂密的叶簇间钻出来，爬到泱面前摇头甩尾，热情地向它示好。现在正值发情季节，泱当然明白墟示好的目的，但它对墟不理不睬，态度冷得像块冰。果然不出泱的所料，墟扭颈耸肩，开始卖力地跳起求爱舞蹈。泱气哼哼地转身欲走，它绝不会去和一个居无定所的流浪汉交配。墟紧走几步，固执地挡在泱面前。泱翻着白眼，愤怒地尖叫，像是在发泄自己的不满：

——流浪汉，难道你要我在摇晃的树枝上产卵吗？如果大风吹来，难道你希望卵像成熟的果子一样从树上掉下去吗？

墟似乎完全不在意泱的反应，自顾自地继续跳着求爱舞蹈。泱发现，墟所跳的求爱舞蹈，跟它过去所见过的其他求爱舞蹈迥然不同，既没有忸怩作态，也没有柔情蜜意，而是动作粗鲁刚劲，表情横蛮狰狞，而且还反复用爪子撕抓树皮，狠命用嘴啃咬树枝，使得树枝上木屑飞溅。这哪像是在跳求爱舞蹈啊，简直就是在武力示威呀！可再仔细看去，墟的动作表面上是杀气腾腾，但它的眼神却不含凶光，恰恰相反，似乎含有一脉温情。凭直觉，泱相信，不论墟的舞蹈动作有多凶险，但它的确是在对自己表达爱意，更特别的是，墟一面跳着别致的武士式求爱舞蹈，一面还频频朝不远处那只葫芦形树洞张望，并发出气势磅礴的鸣叫，泱突然间醒悟了，它明白了墟之所以要跳武士式求爱舞蹈的真正用意，原来是在向它解释：倘若泱接受它的求爱，它就帮泱夺回那个葫芦形树洞！泱仔仔细细地打量墟，它看起来确实是个出类拔萃的雄性，身材特别高大，四肢特别发达，嘴巴上有块三角形红斑，一看就晓得它特别能争勇斗狠。泱突然就有了芳心萌动的感觉。看起来，墟比垛的身体棒得多，斗志也挺旺盛的，假如再给墟一点儿爱情的许诺，相信墟的勇气和力量就会成倍增加，它就更有把握将那只葫芦形树洞从濞和垛的手里夺回来。于是，泱收起雌性的矜持，用火热的媚眼代替冷冰冰的目光，饶有兴趣地欣赏墟的求爱舞蹈，似乎想传达一条信息：

——我陶醉在你刚劲神勇的武士舞中了，倘若你真的能帮我夺回葫芦形树洞，我的心将永远属于你！

随后，墟雄赳赳、气昂昂地顺着一根长长的树枝向葫芦形树洞进发，泱满怀信心地跟在墟的身后。

很快，它们来到了葫芦形树洞前。

濞和垛已经听到了动静，马上出来守护在树洞的洞口。垛上半身探出树洞，下半身缩在树洞里，濞只把脑袋伸出洞外，这是动物夫妻们中最常见的一种梯形防御，夫妻中的雄性承担保卫家园的主要责任，雌性承担次要责任。

垛鼓起肚皮，高声号叫，颈部皮肤变得粉红，做出一副跃跃欲扑的姿势。

泱心里明白，垛使用的是一种恫吓战术。垛虽然看起来凶悍无比，其实是虚张声势；眼睛是心灵的门窗，垛的眼光飘忽不定，暗藏着胆怯和恐惧。濞也是如此，龇牙咧嘴，看起来凶相毕露，但跳个不停的眼皮已经暴露了它内心的虚弱。

泱当然知道溴和垛为何心虚。墟太强大了，足足比垛长半个脑袋，身大力不亏，从力量对比上来说，墟占压倒优势；墟没受过伤，精神饱满，意气风发，而垛身上伤痕累累，精神萎靡，斗志衰退。两雄对决，墟绝对能赢。而泱已经过半个月的养精蓄锐，身体已完全恢复，且报仇心切，气势上也占优势，与溴厮杀是有把握取胜的。

这是一场没有悬念的战斗，结局无非两种，要么溴和垛明智地放弃抵抗，它和墟兵不血刃地夺回葫芦形树洞；要么展开一场血腥的搏杀，溴和垛双双倒在血泊中，而墟和泱则会踏着仇敌的血迹夺回葫芦形树洞。

绝不可能再有第三种结局。

墟往前跃动一步，发出高亢嘹亮的号叫：

——别不自量力了，快滚吧！不然我会撕碎你的皮肉，咬断你的筋骨，让你死无葬身之地！

垛急忙往后退了两步，大半个身体缩回树洞，惊恐地左右张望，看得出来，垛的意志几近崩溃，正在思量并寻找溃逃的路线。但溴却用嘴巴抵住垛的腰，不让垛完全缩回树洞，也不让垛伺机逃跑。虽然溴的身体在颤抖，目光却无比坚毅，发疯般地号叫，脸上一副视死如归的表情。

泱当然晓得溴之所以在力量对比悬殊的情况下不愿逃

跑而仍想拼死一搏的原因。濞和垛侵占这个葫芦形树洞已经半个月了，从时间上推算，濞已产下了一窝卵，而且正在抱窝，卵在濞火热的身体下正慢慢孵化，假如没有意外，再过一段时间，从卵中就会孵化出活泼可爱的小恐龙，作为一个准妈妈，濞当然会不惜一切代价地浴血奋战到底。

墟又往前跃蹿两步，凶猛地朝垛咬去，垛龇牙咧嘴相迎，双方牙与牙的撞击发出了咔咔的声响。垛的嘴巴被咬破，鲜血滴淌，而墟只是鼻子被擦破了点儿皮。

一种复仇的快意在泱心中升腾起来。半个月前，垛就是以这种暴力手段，野蛮地夺去了坤的性命，并捣毁了它正在孵化的四枚卵。现在，仅仅过了半个月，老天爷就赐予了它报仇雪恨的机会。

垛把身体退缩进树洞，脑袋露在树洞外，与濞并排据守洞口，嗷嗷地怪叫。

泱知道，虽然葫芦形树洞洞口狭小，易守难攻，但双方实力差距很大，濞和垛是无法阻挡它和墟猛烈的进攻的，取得胜利只是一个时间问题。

墟又绷紧身体朝前扑咬，这一次，墟未能占到什么便宜。濞和垛是并排据守，当墟咬向垛时，濞则从侧面向墟撕咬，一张嘴抵不过两张嘴，墟不仅未能咬到垛，反被濞撕破了耳朵。

墟扭头朝泱高叫一声，意思很明显，是要泱来并肩战斗。既然对方是夫妻迎战，它们当然也应该是夫妻进攻。夫妻档对夫妻档，公平合理。泱毫不犹豫地向前跳跃。它不是来观赏战斗的，它是来参与战斗的，它理应配合墟一起进攻。

泱冲到濞的面前，发出威胁的叫声，做出一副跃跃欲扑的姿势。泱知道，它不需要浴血奋战，它只要做出佯攻的样子，将濞的注意力吸引过来，拆散濞和垛的联合防御，这就足够了。墟单独对付垛，很快就能突破垛的阻挠，然后冲进树洞去。泱想，半个月前它所遭受的悲惨一幕，很快就会在濞身上重演。当墟强行钻进树洞后，它也要跟进去，狭小的树洞里免不了会爆发一场混战，那四枚孵化了一半的卵，也会被踩得稀巴烂！濞一定会悲痛欲绝，发出撕心裂肺的鸣叫。

一想到濞很快就会遭受家破卵碎、刻骨剜心的痛苦，泱心里就像吞吃了七只肥肥胖胖的蠕虫那么高兴。这没有什么不道德的，以牙还牙，以血还血，天经地义。

当濞的注意力被泱吸引时，墟不失时机地蹿跃过去，朝垛连续撕咬。垛满脸污血，抵挡不住，只能哀嚎着往后退缩，狭小的树洞洞口顿时出现一条缝隙，这可是一处致命的破绽。半个月前，守护在树洞洞口的坤也是因为在垛连续扑咬下，被迫往后退，继而才露出一条缝隙，结果使得垛强行钻进树洞，造成泱家破卵碎的惨剧。此时此刻，同样的惨剧在同一个地方就要重演，受害者却换成了溴和垛，这真是报应啊。

就在墟一面猛烈撕咬、一面强行往树洞里闯时，意想不到的事发生了。溴突然横转身体，不顾一切地扭头咬向墟；溴一张嘴，再加上垛一张嘴，两张嘴对付墟一张嘴，就有效地将墟堵在了树洞外；但溴这么做，等于饮鸩止渴，因为这样一来，它就把自己柔软的身体暴露在了泱面前，只要泱愿意，很容易就可以将溴撕咬得鲜血淋漓。溴似乎也清楚自己的危险处境，它发出如泣如诉的哀嚎，堵在树洞口的身体在瑟瑟发抖。

现在，轮到泱出手了。泱一爪过去，溴后腿弯立刻出现了几道血痕。照理说，溴的身体受到攻击，应扭头来抵挡，然而，溴却毫不理会泱的攻击，仍与垛肩并肩、头靠头地阻挡墟的强行突入。溴肯定知道，眼前最大的威胁是墟，一旦让墟突入进来，这个葫芦形树洞连同洞底的四枚卵将彻底完蛋，所以它甘愿自己的身体受到泱的攻击，也要阻止墟的闯入。

泱再次扑蹿上去，在溴的背部狠狠咬了一口。

溴的背部立刻皮开肉绽，鲜血漫流出来。

这时候，墟朝泱使了个眼色，突然往后退却两步，鼓了一口气，竭力让自己的身体膨胀起来，然后高高竖起脑袋，发出狠毒的吼叫。泱领会了墟的用意，也学着墟的样子，往后退了两步，气势汹汹地吼叫起来。

这时，葫芦形树洞前，闪出了一条通道，刚好足够让溴和垛夺路逃跑。

这是一种搏杀策略，是在对方受到重创后，主动退却，给对方一条逃生的路，让对方看到生的希望，使对方不至于因看不到生的希望而拼杀到最后一口气。这样，既能避免自己在残酷的生死搏杀中意外受伤，又能得到自己想要的东西——葫芦形树洞。这当然是上上策。

——你们已经输定了，继续搏杀只能是白白丢了自己的性命！

——要么与四枚卵同归于尽，要么抛弃四枚卵自己逃命，你们别无选择！

这种网开一面的搏杀策略在垛身上奏效了。垛从一开始就知道这是一场毫无胜算的卫巢战斗，它的意志本来就不太坚定，现在经过几个回合的较量，变得更加虚弱胆怯了。因此当墟和泱主动往后撤离两步时，垛的眼睛里立刻就流露出绝处逢生的窃喜，它弓起脊背，悄悄做好逃跑的准备。

——想逃命就赶快逃吧，别不好意思，贪生怕死是动物的本性！

就在这时，溴突然扭头在垛的肩胛上狠狠咬了一口，它用犀利的目光逼视着垛，嘴里发出沉郁、愤懑的吼叫，这既是阻止垛逃窜，也是在表达自己血战到底的决心。

——要死我们全家死在一起，我绝不苟且偷生！

垛眼睛里逃生的窃喜消失了，一副羞赧的表情浮现在脸上，它重新摆出一副生死搏杀的姿势。

保家卫巢本来就是它们这个物种的雄性与生俱来的义务和责任。

它们已横下一条心，要和葫芦形树洞里的四枚卵共存亡。

泱和墟没有其他法子，只有继续进攻。墟勇猛地扑上去，朝垛撕咬。濞仍与垛肩并肩、头靠头地抵挡墟的扑咬。现在，是泱向濞扑咬的最佳时机，只要在濞柔软的腹部狠狠咬上几口，濞很快就会倒在血泊中。泱不用担心会遭到濞的反击，因为它正在与墟鏖战，是不可能反咬自己一口的。自己绝对安全，又能置敌于死地，何乐而不为？泱张开嘴，亮出细碎而尖利的牙齿，照准濞柔软的腹部就要咬下去。这时候，假如濞躲闪，树洞口就会露出缝隙，泱正好可以趁虚而入，钻进树洞，展开一场名副其实的血淋淋的窝里斗；假如濞不躲闪，这将是致命的一咬，不能咬得它当场气绝身亡，也起码能咬得它肚破肠流、奄奄一息。濞没有躲闪，仍将自己的身体死死堵在洞口，只是将目光移转到泱身上，发出一声凄厉的长嚎。

泱立刻就读懂了濞的心声，濞并非是在为自己即将遭到致命攻击而绝望地哀号，滠这声凄厉的长嚎，其实是在对树洞里孵化了一半就即将遭到毁灭的四枚卵作最后深情的告白：

——我的心肝宝贝，是妈妈无能，不能保护你们，仇敌就要攻进树洞，现在妈妈唯一能替你们做的，就是流尽身上最后一滴血，以证明妈妈对你们最深切的爱，再见了，心肝宝贝！妈妈要先你们而去了，妈妈会在另一个世界等候你们！

泱本来绷紧的身体，突然有了一种虚软的感觉，它顿时失去了扑咬的勇气。它也做过母亲，它完全能体会滠此时的心情：眼睁睁地看着自己的心肝宝贝遭蹂躏而无力去救，一颗做母亲的心早就破碎了。它也曾经历过小宝贝惨遭不幸时剜心锥骨的痛苦，它能忍心将这种不幸和痛苦施加到另一个母亲身上吗？

泱站在树洞前发怔，不知该如何是好。

嗷嗷！墟大声吼叫，那是在提醒泱：

——你发什么愣呀？赶快扑上去撕咬啊，你很快就能夺回本来就属于你的葫芦形树洞！

泱犹如醍醐灌顶，霎时间幡然醒悟。是的，这个葫芦形树洞本来就是它的，半个月前被滠和垛用暴力抢了去，它的丈夫坤因此而丧命，四枚孵化了才一半的卵也被粗暴捣毁，无论从哪个角度讲，滠和垛都是它不共戴天的仇敌，无论对它们进行怎样残忍的报复，都是合情合理的。仇敌的痛苦，就是它的欢乐。它没必要犹豫，也不用去同情。刹那间，它怒火中烧，全身的肌肉又绷得紧紧的，它张开嘴，又照准了濞柔软的腹部……

可是，濞那张洋溢着母性光辉的脸，那绝望而又悲壮的神情，就像一根无形的绳索，捆绑住了泱的身心，阻止它对濞进行致命的噬咬。

泱告诫自己，自己现在不需要悲悯情怀，自己现在最需要的是这个能遮风挡雨、并能孵卵抱窝的葫芦形树洞！

可是，你咬死我，我咬死你，你抢了我的窝，我夺了你的巢，你杀了我的儿，我踩碎你的卵，这样血腥的悲剧，难道要一幕一幕地重复上演吗？

它管不了这么多，它有权夺回葫芦形树洞，有权咬杀害死坤、并捣毁它一窝卵的濞！

可就算它和墟能成功夺回葫芦形树洞，从此就能过上太平日子吗？就能平平安安地产卵抱窝，养育下一代吗？以后一定会有比墟更强壮更凶蛮的雄性来抢夺这只最适宜居住的葫芦形树洞的！血腥的搏杀将永不休止。

泱渴望和平的生活，和睦的大家庭多么让泱神往啊！泱很难忘记，在肆虐的暴风雨中，它艰难地爬到濞一家居住的树洞前求救时，濞的妈妈慈爱地让它爬进树洞避雨……

为什么大家不能和睦共处？老天爷为什么不让每一棵树

上都有许许多多适宜居住的树洞？

恍惚间，泱似乎看到，一批又一批找不到树洞的流浪者，前仆后继地冲向葫芦形树洞，血腥的搏杀从日出持续到日落，又从黄昏持续到黎明，树洞前尸骨堆积如山，墟杀死最后一个前来争抢树洞的入侵者，但它自己也已浑身是血，还负了重伤。墟可能就成为这个种族中最后一名幸存者，它张嘴想发出因胜利而自豪的号叫，但却怎么也发不出声来，突然就从嘴腔里喷出一口鲜血，倒在了血泊中……

——嗷嗷，嗷嗷！

泱听到了墟急切的叫声，哦，是墟在催促它赶快向溴扑咬。泱怔怔地看了墟一眼，突然转过身去，离开葫芦形树洞，爬向郁郁葱葱的巨大的树冠。

它讨厌窝里斗，讨厌流血，讨厌杀戮。它不能做种族灭绝的罪魁祸首。

泱一走，形势陡然发生逆转，墟虽然强壮，但要同时对付溴和垛，便显得力不从心。墟又接着和它们纠缠厮斗了几个回合，但它不仅没占到什么便宜，还被溴咬伤了脖子，无奈之下只得偃旗息鼓，灰溜溜地撤走了。

入夜了，泱趴躺在树冠上。凉飕飕的夜风吹来，它忍不住打了个寒噤。一轮满月悬挂在宝石蓝的夜空上。突然，在邻近的一棵银杏树上，有一个黑影正缓慢地向它爬过来。借着斑驳的月光，泱看清来者是墟。墟也看见了泱，便用嘶哑的嗓音发出委屈的叫声：

——眼看葫芦形树洞就要到手，你怎么突然就跑了呢？我的力白费了，我的血白流了，你究竟是在搞什么呀？

泱不等墟靠近，马上就钻进密匝匝的叶簇中，消失在黢黑的夜幕中。墟有权埋怨，可泱无颜面对墟，所以它只能逃避。它爬到了另一棵银杏树上，蜷缩在黑暗中。

夜深了，风越来越凉，带来一股彻骨的寒意。泱冷得瑟瑟发抖，难以入眠。假如它不犯傻，不在最后关头莫名其妙地退缩，那么此时此刻，它已经拥有那只葫芦形树洞了，它将与墟相拥而眠，享受巢的温暖和家的温馨。现在，后悔也晚了。它不晓得今后自己该怎么生活。如果居无定所，只在树上流浪，似乎也能活下去，但却无法产卵抱窝，养育后代。生存和繁殖，是它生命的两大任务。它担心自己不得不永远放弃繁殖这项任务了。可它又不甘心，它希望能找到不依靠杀戮、夺取，就能繁衍后代的方法，可是，它绞尽脑汁也想不出这样的方法来。

出路在哪里？出路在哪里？

第十八章　打破禁忌

崆瞪着小而阴沉的眼睛，划动长而犀利的四爪，在草丛中努力寻找可以吞食的虫子。遗憾的是，除了绿油油的野草，它连一只苔藓虫也没找到。

崆是岫五代，一只刚出壳半个多月的雌性犬齿甲龙。

半个多月来，崆吃了上顿愁下顿，每天都是在饥饿中度过的。最近两天，情况变得更糟糕，崆只吃到了两只苔藓虫和一只红头蠕虫，早就饿得饥肠辘辘，都恨不得将自己的尾巴咬下来充饥。

崆出壳的地点，并非是贫瘠的穷山恶水，恰恰相反，而是侏罗纪辽西地区一块最肥沃的土地——黄金滩。黄金滩草肥水美，现在又是万物疯长的夏季，各种昆虫繁多，按理说，食物应该是很丰盛的。但是，自打岫三代那只名叫屿的雌性犬齿甲龙利用性选择驱使众多雄性犬齿甲龙扑杀了有侏罗纪巨无霸之称的黑尾巴梁龙后，就没有其他大型恐龙敢染指黄金滩了。面对凶蛮的犬齿甲龙军团，没有谁不害怕的，其他恐龙对它们的态度就是：惹不起躲得起，因此其他恐龙都躲得远远的，谁都不敢再来黄金滩了。这样一来，黄金滩就成了犬齿甲龙专用的繁殖基地，成了犬齿甲龙产卵育雏的世外桃源和蓬莱仙境。成千上万只雌性犬齿甲龙都选择在黄金滩上产卵。一时间，广阔的黄金滩上到处都是犬齿甲龙的孵卵窝，密密麻麻，鳞次栉比，一个窝挨着一个窝。犬齿甲龙属于高繁殖率的爬行动物，一胎可产五十多枚卵，如果没有天敌偷盗和糟蹋，卵的出壳率极高，百分之九十几的卵都能孵化成小犬齿甲龙。经过几代繁育，种族数量呈几何级数增长。到了崆这一代，种群的数量达到了空前繁荣。当崆蹭破蛋壳来到阳光明媚的世界时，方圆几十公里的黄金滩已经“人”满为患，举目望去，黑压压一片，到处都是刚刚出壳、正在蠕动爬行的小犬齿甲龙，它们几乎覆盖了整个黄金滩。刚刚出壳的小犬齿甲龙胃口很大，靠连续不断地吞噬食物而使自己迅速成长。生活在侏罗纪的动物都知道，在弱肉强食的丛林里，只有快速让自己壮大才能获得生存机会。千千万万颗贪婪的心、千千万万张饥肠辘辘的嘴，都在钻头觅缝地寻找可以塞饱肚子的食物。昆虫、蠕虫的繁殖速度，远远比不过庞大的小犬齿甲龙群体的消耗速度。打个不恰当的比喻，这些小犬齿甲龙们吃东西，就像秋风扫落叶一般，它们会把所有可吃的虫子一扫而光。

崆饿急了，可又找不到东西充饥，就去啃咬草根。雪白的草根脆生生、水灵灵的，闻起来还有一股柠檬的清香。可崆吃在嘴里，却觉得苦涩难咽。犬齿甲龙已进化成纯粹的食肉恐龙，它们天生茹毛饮血，只对肉感兴趣，宁肯饿死也不吃素。

可以维系生命的食物在哪里？崆瞪起贪婪的眼睛，四处搜寻。

黄金滩上，除了刚刚出壳的小犬齿甲龙，找不到任何其他活物。

崆简直要饿疯了，在黄金滩到处乱转。千千万万小犬齿甲龙，也都快饿疯了，也都在黄金滩到处乱转。

黄金滩上弥漫着一股焦躁不安的、恐怖的气氛。

崆来到一个掩映在草丛中的小水凼，想寻找些藻虫、水蛭等浮游生物充饥，结果令它大失所望。小水凼里的水干净得就像纯净水，里头什么也没有。

生命就像一架发动机，食物就是燃料。如果燃料耗尽，发动机就会熄火；没有食物，生命就要终结。崆肚子里空空如也，它觉得头晕目眩，心虚气短，四肢乏力，生命开始慢慢出现衰竭的征兆。

就在崆的生命烛火快被吹灭时，突然，它看到一只比它体形稍小一些的小犬齿甲龙，也已饿得皮包骨头了，粉红的皮肤呈半透明状，在阳光的照射下，崆似乎都能瞧见它肚子里的五脏六腑，或许可称其为玻璃宝宝。玻璃宝宝现在正吃力地迈动细弱的四肢，爬到小水凼处觅食，结果当然也是一无所获，它也费了很多力气，可什么也没找到。玻璃宝宝垂头丧气地爬出小水凼，要往一道约半米高的石坎上攀爬，大概是想翻过石坎爬到其他地方去碰碰运气吧。石坎不算高也不算陡，玻璃宝宝虽然出壳没几天，如果处在正常状态下，它翻越这道石坎应该是没问题的，但它现在已饿得支撑不住了，才勉强爬了一半，突然脚下一滑，身子奇怪地挺了挺，竟然从石坎上掉落下来。小恐龙年幼体弱，在爬高时摔跤，这本来是极平常的事，但让崆觉得惊讶的是，玻璃宝宝从石坎上跌落下来后，却是肚皮朝天，它挣扎了好一阵，却始终未能翻爬起来。崆爬过去，玻璃宝宝好像已经不行了。只见它两眼翻白，口吐白沫，四只细弱的爪子在空中踢蹬抽搐。过了一会儿，玻璃宝宝头一歪，停止了挣扎。崆小心翼翼地用嘴巴触碰玻璃宝宝，玻璃宝宝仍旧僵然不动。玻璃宝宝饿死了，的确是怪可怜的，崆想。这时，崆想转身离开，趁现在自己还有口气，爬到其他地方去寻觅食物还是有可能的。可是,它的眼光却舍不得离开玻璃宝宝。崆突然有了一种灵感：这不就是自己苦苦寻觅的食物吗？梦里寻食千百度，蓦回首，食物不就在眼前吗？它被自己的想法吓了一跳，于是赶紧退到草丛中,远离玻璃宝宝。镇定下来后,崆又惊慌地四处张望，唯恐其他小犬齿甲龙发现自己罪恶的念头。不过还好，这里十分隐蔽，根本看不见其他小犬齿甲龙的身影，崆这才稍稍松了口气。

犬齿甲龙虽然已经是侏罗纪最凶猛最贪婪的食肉恐龙，大到巨无霸梁龙，小到迷你型始颌龙，天底下爬的游的什么都敢吃，但到目前为止，还从没有过吞食同类的先例。它们不仅不吃活的同类，也不吃死的同类。肚子再饿，遇到同类的尸体，也都会绕道而行，弃之不理。同类不相食，是犬齿甲龙与生俱来的一种禁忌。不仅犬齿甲龙有同类不相食的禁忌，许多别的恐龙也有这样的禁忌。同类不相食这条禁忌，是保持物种昌盛的重要行为准则。道理很简单，假如同类之间可以相食，你可以吃我、我可以吃你，彼此之间互相猜疑，互相戒备，互相敌视，互相残杀，这样下去的话，这个物种早就灭绝了。

崆虽然出生才半个月，但在遗传基因的作用下，也已有了同类不相食的意识。它吃力地扭转身体，想翻越那道半米高的石坎，爬出小水凼，远离玻璃宝宝，远离这难以抵御的诱惑。可是，它早已饿得四肢虚软，才爬了几步，就从上面滚落下来。巧极了，崆刚好就滚到玻璃宝宝身边，与玻璃宝宝并排仰躺着。崆费了很大劲，才艰难地翻爬起来。它要是再吃不到东西，很快也会像玻璃宝宝一样，从石坎上跌落下来，永远沉睡不醒了。

食物在哪里？食物近在眼前！

崆壮起胆子，伸出舌头在玻璃宝宝的肚皮上舔了舔，玻璃宝宝纹丝不动，身体已逐渐冷却。这样一顿丰盛的午餐，不吃也太可惜了。玻璃宝宝已经死了，它不论是被饥饿的同类吃掉，还是被蚂蚁蚕食掉，似乎都没有本质的差别。重要的是，崆如果吃下这顿丰盛的午餐，就能辞别死神，就能活着爬出小水凼。尽管有一个理智的声音在不断提醒崆：同类不得相食！但这个声音显得太微弱了。毕竟，对崆这样的冷血动物来说，能活下去是最重要的。世间万事，生存为大。它闭起眼，狠狠心，在玻璃宝宝的肚皮上咬了一口。皮薄肉嫩，可比昆虫好吃多了。有了燃料，生命之火就变旺了；胃里有了东西，身上立刻就有了力气。可它还是被自己触犯禁忌的行为吓了一大跳，吃了一口后，立马就蹿进草丛里躲了起来。同类相食是一种罪恶啊，现在停止还来得及。可是，吞进一口食物，饥饿感不仅未能缓解，反而更强烈了。吃一口也是吃，吃十口也是吃，还不如敞开肚皮饱餐一顿呢。于是，崆从草丛中钻出来，猛扑到玻璃宝宝身上，快速撕食起来。它肚子实在太饿了，不一会儿，玻璃宝宝就从这个世界上彻底消失了，碧绿的草地上只留下几根零乱的白骨。

肚子虽然填饱了，但精神上很压抑，崆背负着一种沉重的罪恶感。

毕竟，种群的禁忌对个体的行为有着强大的约束作用。

但不管怎么样，崆肚子吃饱了，生出很多力气，顺利地爬出了小水凼。它想，它这是第一次吃同类的尸体，也是最后一次，以后它再也不会去做这种事了。

但是，食物依旧匮乏，崆仍然是吃了上顿没下顿，当它实在饿极了，遇到同类的尸体时，还是会偷偷摸摸地对其撕扯、啃食。许多其他犬齿甲龙，也在饥饿的逼迫下，效仿崆，啃食同类的尸体。黄金滩上，所有的昆虫都已被吃光了，由于食物严重短缺，天天都有饿死的小犬齿甲龙，这对那些仍旧饥肠辘辘的小犬齿甲龙来说，同类尸体是最容易寻觅和获得的食物了。

吃一次也是吃，吃十次也是吃，总不能让自己活活饿死吧！

不管怎么说，它们吃的都是早已气绝身亡的同类尸体，没有生命的同类似乎可以看作非同类，只是一堆可以填饱肚子的肉而已，似乎还不能算真正触犯了同类不相食的禁忌。

又过去了半个多月，峌靠盗食同类的尸体活了下来，许许多多其他犬齿甲龙也靠盗食同类的尸体活了下来。事情一旦有了开头，就会按照自身的规律发展下去。一开始它们还只是偷偷摸摸地盗食，可当同类尸体不够吃后，就变成了公开的抢夺。一旦有一只犬齿甲龙倒毙在地，立刻就有许多犬齿甲龙围拢过来，你撕我咬，你争我抢，将同类尸体分而食之。

终于，同类的尸体成了黄金滩千千万万只犬齿甲龙赖以生存的最主要的食物。每一只小犬齿甲龙都晓得同类的尸体能使自己存活下去，于是就都钻头觅缝地寻找同类的尸体。渐渐地，食物产生的速度跟不上食物消耗的速度，食源又变得紧张起来，饥饿的阴影又笼罩在众多犬齿甲龙的头上。

这天早晨，峌照例四处寻觅同类尸体，它迎风抬头，耸动鼻翼，希望能闻到死亡那股特殊的气息。遗憾的是，它闻了一阵，却没闻出哪儿有可食的尸体。峌饥肠辘辘，用爪子抓刨草根，希望能翻出一些钻在土壤里的节肢动物来充饥，忙了半天，却什么也没找到。就在这时，峌突然看见正前方约五六米远的地方，有一只约半月龄的小犬齿甲龙，正在缓慢地爬行。这只小犬齿甲龙满脸污血，右眼瞎了，眼窝处变成了一个小小的血洞，也许可以给它起个外号叫独眼龙。不难猜想，可能是在争夺食物时，它跟其他犬齿甲龙发生了一场混战，不慎被抓瞎了一只眼睛。它伤得不轻，眼窝形成的血洞还在滴着血，它只能吃力地迈动四肢，哀哀呻吟。崆立刻意识到，眼前这只独眼龙，正在生死线上徘徊，是快被饥饿和伤痛夺走生命的一具候补尸体，也就相当于是崆能够填饱肚子的候补食物。于是，崆在独眼龙身后五六米远的地方，悄悄跟着它。崆想，用不了多长时间，爬着爬着，独眼龙就会力气耗尽，再也爬不动了，然后四肢抽搐，然后口吐白沫，呜呼哀哉。

独眼龙爬一会儿，停一会儿，崆也爬一会儿，停一会儿，时间在悄悄流逝……

第十九章　长羽毛的坍

泱不屑一顾地看着坍，嗷嗷地对它发出驱赶的叫声。

泱打心眼儿里瞧不起坍。整个种群里，估计也没有谁会瞧得起坍。这样的窝囊废，也敢在它面前跳求爱舞蹈？泱觉得这简直就是对自己的一种侮辱。

坍是整个种群中最不起眼的雄性。它们这个物种本来就是庞大恐龙家族中的小不点儿，个头瘦小，体态轻盈，称得上是侏罗纪时代的一个袖珍品种，而坍又是种群中最弱小的一个雄性，它的个头只有同类中其他雄性的三分之二大，身体看上去特别单薄，似乎一阵风就能把它吹跑。更糟糕的是，坍的身体似乎有点儿畸形——它的身体出奇得小，四肢却出奇得长，特别是两条前肢，不仅长，腿弯处还长出一层薄膜，不伦不类的，显得怪模怪样。尤其让泱觉得匪夷所思的是，那薄膜上竟然覆盖着一层五颜六色的毛。有一种名叫鳞甲龙的恐龙，身上也长有一片一片、层层叠叠的衍生物，但那是坚硬的鳞甲，是一种有效的防御武器。而坍前肢薄膜上覆盖的那层毛十分特别，柔软而色彩鲜艳，像树叶一样，一片一片的，层层叠叠。树长出一片片叶子，这很正常，但坍身上长出这一片片叶子似的羽毛就很反常了。谁也不知道坍身上这层毛有什么用处，当然它们也不知道这就是地球上的生物最原始的羽毛。羽毛是皮肤的衍生物。侏罗纪时代的爬行动物，身体表面很少长毛，一般来说它们的体表都是光溜溜的，这是因为绝大多数爬行动物都是冷血动物，要靠晒太阳来提升自己的体温，而赤裸的皮肤有利于吸收阳光，仅有极少数的巨型恐龙，身上某些部位长有少许稀疏粗硬的刚毛。作为爬行动物，身上长毛，本来就不正常，而坍的体毛又像轻柔的叶片一样，层层叠叠地覆盖在身上，那就特别稀罕，可以说是绝无仅有。正因为如此，在它们的种群中，在大家心目中，坍就是一个怪胎，就是一个异类，就是一个被造化作弄的畸形儿。有哪个头脑正常的雌性，会愿意接受坍的求爱呢?

坍卖力地摇头摆尾、旋转身体，跳着求爱舞蹈。

泱毫不客气地嗷嗷驱赶。

坍气馁地停止了舞蹈。看来，这又是一次失败的求爱。对坍来说，遭异性拒绝，已成了家常便饭。

坍从小命运多舛，可以说是在苦水里泡大的。

坍是四枚卵里出壳最晚的小恐龙。它的妈妈名叫浜，浜辛辛苦苦抱窝几十天后，终于有三枚卵在同一天都成功出壳了，唯有一枚颜色最鲜亮的卵却迟迟没有动静。浜的丈夫名叫塔，塔是个有情有义的雄性。在浜产卵、抱窝时，天天起早摸黑地外出觅食，浜从不需要自己去觅食，整个抱窝期间都吃得饱饱的。然而天有不测风云，在浜抱窝的第三十五天时，它的家庭出现了意外：塔清早钻出树洞去觅食，一直到天黑也没回来。塔是个有责任心的丈夫，天黑了也没归巢，那一定是发生了意外。当天夜里，三枚卵中的小恐龙成功孵化出壳，但它们一出生就没了爸爸，浜成了单身妈妈。要是这四枚卵能同时孵化出小恐龙，浜也许还能应付得过来，它可以清早或傍晚外出找食，吃饱后赶紧回巢，将食道中半消化的流质食物反哺给这些嗷嗷待哺的小家伙，就这样艰难度日，或许能将它们拉扯大。种群中不乏像浜这样的单身妈妈，它们也都是这样挺过来的。但这四枚卵中始终有一枚卵没能及时出壳，这让浜陷入了困境。因为它们这个物种的卵如果想要成功孵化出壳，必须时刻紧贴在妈妈火热的胸脯上，一旦离开妈妈的体温，卵是无法孵化出小恐龙的。开始，浜是这样想的：或许几个小时后，这枚颜色鲜亮的卵里的小家伙就会蹭破壳来到这个世界，于是，浜便不理会另外三个张着小嘴吵吵嚷嚷、朝它乞食的小恐龙，而是继续蹲在树洞里抱窝。又过去了一天，这枚颜色鲜亮的卵还是没有动静，浜想放弃了，三个已出壳的小家伙还没进过一口食，再饿下去，怕会饿出问题来的，它不能为了照顾一枚卵而饿坏了三个小恐龙。可当它把耳朵贴在卵壳上仔细谛听时，卵里传来了窸窸窣窣的轻微声响。毫无疑问，肯定是里头的小生命在蠕动。浜又改变了主意，它是母亲，实在不忍心抛弃即将出壳的小宝贝，如果它现在外出觅食，由于长时间失去妈妈的关爱和体温，这枚卵就会变成一枚永远也无法孵化出幼雏的死卵。于是，浜打消了外出觅食的念头。它希望自己产下的四枚卵，都能变成活蹦乱跳的小生命，因此，它继续蹲在树洞抱窝。此时，另外三个小恐龙都大张着嘴，一刻不停地吱吱叫唤，叫得浜心慌意乱，它一会儿对着那枚颜色最鲜亮的卵叽叽叽地鸣叫，声音脆亮而急促，那是在催促：

——好宝贝，你就快点儿用力蹭破卵壳出来吧，外面有温暖的阳光，外面有甜美的食物，求求你，快出来吧，别再折磨妈妈了！

一会儿，它又对着那三个嗷嗷待哺的小恐龙啾啾啾地叫唤，声音温柔而委婉，那是在安抚：

——小宝贝，妈妈知道你们饿极了，妈妈实在为难死了，请你们体谅妈妈，请你们再忍一忍，只要你们最小的兄弟一出壳，妈妈立刻就去找食，妈妈一定找来营养最丰富的斑点蠕虫，让你们吃得直打饱嗝！

遗憾的是，浜又等了整整一天，那枚颜色最鲜亮的卵还是一枚卵，静静地躺在它的胸脯下，没孵化出小恐龙，而那三个小家伙却已叫得声音嘶哑，快饿得支撑不住了。

需要说明的是，凡是卵生动物，必须自己啄破或蹬破卵壳从卵里钻出来，才能存活下去。卵壳非常薄，浜用爪子轻轻一踩，或用嘴轻轻一咬，就可将卵壳弄破，这样就能帮助小家伙早点儿出生。就像人类社会的剖腹产一样，医生在孕妇肚皮上划一刀，将婴儿从孕妇子宫里取出来，可这种办法在人类身上适用，在浜这个物种身上却绝对行不通，卵生小恐龙如果不是靠自己的力量啄破或蹬破卵壳从卵里钻出来，而是借助外力出来的话，必定会很快夭折。

所以，浜是无论如何也不会用抓破或啄破卵壳的办法来帮助小恐龙早点儿出壳的。

浜下决心要放弃了，虽然这枚颜色最鲜亮的卵是它的心头肉，可那三个嗷嗷待哺的小恐龙更是它的心头肉，保全一枚卵还是保全三个小恐龙，这其实是一道并不复杂的数学题。浜站了起来，准备钻出树洞去觅食了，它已耽搁了整整两天的时间，三个小家伙已饿得有气无力，脖子软软的，连头也抬不起来了，它一秒钟也不能再耽搁了，必须尽快找到食物，否则三个小家伙也许就会变成三具小小的尸体。浜已经把脑袋钻出了树洞，却又停了下来。在这四枚卵里，它最钟爱的就是这枚颜色特别鲜亮的卵了，其他三枚卵的颜色灰不溜秋的，卵壳上面还布有一些褐色麻点，唯独这枚卵光洁如玉，泛动着一层银色光泽，看着就赏心悦目，它实在有点儿割舍不下，就又返转身，把耳朵贴在卵壳上仔细聆听。这一次，它听到里面传出来了小嘴啄咬卵壳的轻微声响，它喜出望外，凝神屏息。笃笃笃，里面的声音清晰而真实，浜不是在做梦，这也不是幻觉，果真是小嘴在啄咬卵壳的声音。哈，第四个小家伙终于也要出壳啦！浜又打消了外出觅食的念头，将自己火热的胸脯继续贴在这枚卵上，叽叽叽地不停叫唤，鼓励卵里头的小恐龙赶紧蹭破卵壳钻出来。

又折腾了半天，终于，最后一只小恐龙，也就是那只名叫坍的小雄性，啄破卵壳，从黑暗的卵壳里来到了光明的世界。

刚钻出卵壳的坍身上裹着一层黏液，按正常的分娩程序，浜应该用身体焐干坍，这个过程需要一两个小时，但浜已经等不及了，坍刚从卵壳里钻出来，浜就急急忙忙地冲出树洞去觅食了。食物并不是那么容易找的，河边、湖畔的湿地里倒是有丰盛的食物，但浜不敢下到地面去觅食，茂密的灌丛里埋伏着许多饥饿的食肉恐龙，大白天下到地面去觅食，风险太大了，万一有个闪失，树洞里四个小宝贝也会因此而一命呜呼。浜只敢在树冠上寻觅可食之物。费了很大的劲，浜总算吃到一只树虱和三只蒿里山虫，还找到一穗儿名叫小米粒果的野果子，肚子算是填了个半饱，它就连爬带跑用最快的速度返回树洞，但还是迟了，三天前出壳的三只小恐龙，有一只已经四脚朝天，有一只脑袋垂在胸口已经奄奄一息，只有一只勉强还能张开小嘴做乞食状，却已叫不出声来了。浜赶紧弓耸脖颈从食道中吐出一些半消化的食物，塞进那张乞食的小嘴，遗憾的是，食物又从小嘴里流了出来——小家伙已没有力气将食物吞咽进去……太阳落山时，脑袋垂在胸口的小恐龙也四脚朝天了。到了半夜，那只张开小嘴做乞食状的小恐龙也魂归西天，离开了这个世界。

浜呆呆地望着三具冰凉的尸体，欲哭无泪，肝肠寸断。它意识到自己犯了一个严重的错误：自己为了救那个迟迟不出壳的小恐龙，结果却害了三个正常出壳的小恐龙！救一害三，这是多么愚蠢的行为。现在，后悔也晚了。浜痛心疾首，却又无可奈何。它正在伤心时，坍抻长脖子，向它发出乞食的叫声。坍身上的黏液还没完全干透，夜风袭来，它冷得瑟瑟发抖，急需妈妈的体温和救命的食物。浜朝坍的嘴里塞了几口半消化的食物后，就粗暴地将坍从自己身边推开。在坍还未出壳时，浜特别钟爱它。现在，这种钟爱已消失殆尽。浜认为，正是因为坍一再推迟出壳的时间，才导致三只小恐龙被活活饿死，这是无法否定的因果关系。浜甚至对坍产生了一种厌恶和憎恨的情绪，它觉得坍就像是老天爷恶意扔给它的一颗灾星，给它带来了巨大的灾难。它无法面对坍，一看见坍，心里就别别扭扭的，就会想起三个刚出壳三天就被活活饿死的小恐龙。仅仅是出于一种母性的本能，浜坚持给坍喂了一个月的食，还没等坍学会自谋生活，浜就抛下尚未成年的坍，不辞而别了。

坍才一个月大，就失去了母亲的庇护，独自居住在树洞里，艰难度日。那时候，争抢树洞的种内战争已拉开了序幕。在一个风雨交加的早晨，一对夫妻前来争抢坍居住的树洞，坍无力抗拒，只得将树洞拱手相让，从此它便居无定所，风餐露宿，成为银杏树林里可怜的流浪儿。

年幼的坍觅食技能低下，因为总是找不到足够的食物，常常饿得头昏眼花。或许就是因为营养不良，所以它的身体十分瘦小，几乎瘦到了皮包骨头的程度，皮肤也很松弛，前肢腿弯儿里多余的皮肤渐渐形成了一层薄膜。到了阴雨天，与坍同龄的小恐龙惬意地依偎在妈妈的怀里，在冬暖夏凉的树洞里欣赏烟雨朦胧的美景，而坍只能独自站立枝头，忍受凄风苦雨，冻得瑟瑟发抖。也许是体内的御寒机制发挥了作用，也许是一种偶然的基因变异，坍一岁时，身上开始长出树叶一样的羽毛，尤其是在前肢的两块薄膜上和尾巴上，五颜六色的羽毛层层叠叠。坍明显感觉到，自从身上长了这些羽毛，自己就像穿了一件保暖的外衣，料峭夜风似乎也不那么冷了。但其他同类身上都是赤裸裸的，唯独坍长了一身羽毛，它当然会被同类视为怪胎。坍自己也有一种自惭形秽的感觉。同龄伙伴没谁愿意同它玩耍，它显得孤孤单单的。坍两岁时，身体已经发育成熟，到了对异性感兴趣的时候，于是坍也像其他雄性一样，在雌性面前跳求爱舞蹈，但没有哪个异性愿意接受它的爱。

坍成了被爱情遗忘的可怜家伙。

在泱嗷嗷的驱赶声中，坍知趣地停止了徒劳的求爱，它缩紧身体，蹲在一根枝杈上，用忧郁的目光望着泱。

泱想转身离开。别说是长了一身羽毛、怪模怪样的坍了，就是换个正常的雄性来它面前求爱，它也不会坠入爱河了。它实在不愿再用血腥的暴力去争抢树洞了，而没有树洞就意味着它无法再正常产卵抱窝，既然如此，那就干脆停止发情，停止繁殖！

就在泱转身欲走时，突然，老天爷变了脸，刚才还阳光灿烂的天空，骤然间乌云密布，冷风习习，天上下起了罕见的冰雹。噼里啪啦，银杏果般大小的冰雹击穿树叶砸断细枝，整片银杏树林都在颤抖。

这场罕见的冰雹，改变了泱的命运，也改变了它们整个种群的命运。

第二十章　同类相食

崆没料到，独眼龙的生命力这么顽强。虽然它的一只眼睛瞎了，血流满面，看上去就像风中的一盏烛火，闪烁摇曳，眼瞅着就要被风吹熄了，但就是不肯熄灭。崆跟在独眼龙后面，从早晨跟到中午，又从中午跟到傍晚，希望独眼龙能马上仰面朝天，四肢抽搐，呜呼哀哉，这样自己就能填饱辘辘饥肠了。可遗憾的是，它的希望一次次落空，天就要黑了，独眼龙仍没有即将咽气的迹象，还在喘息着，缓慢地向前爬行。

生命的烛火为什么还不肯熄灭？

岾快爬几步，绕到独眼龙面前，发出焦急的叫声：

——如果命中注定你活不成了，你又干吗苟延残喘，延长自己的痛苦呢？你的一只眼睛瞎了，找不到食物，你的下场不是活活疼死，就是活活饿死。对你来说，活着就是痛苦，活着就是受罪，多活一分钟就多承受一份痛苦，少活一分钟就少受一份罪，死亡是最好的解脱。既然如此，你干吗不快点儿咽气呢！

令岾气恼的是，独眼龙不仅没马上自我了断，反而昂起头，用一种很强悍的姿势回应岾催命的叫声，似乎在说：

——你虽有眼睛，却缺乏眼光。难道你看不出来吗？我的生命极有韧性，你休想把我当食物，说不定我能比你活得更长久呢！快滚吧，到别的地方去碰碰运气，别在我身上浪费时间了！

岾有点儿泄气，却舍不得放弃。准确地说，不是舍不得放弃，而是无法放弃。它跟随在独眼龙后面已整整一天了，本来就饿得饥肠辘辘的，此时更是饿得心虚腿软。天已擦黑，如果再到其他地方去找食，找到的可能性几乎是零。它现在唯一的希望就是独眼龙了，它只有锲而不舍地跟随在独眼龙身后，才有活下去的可能。它相信自己不会看走眼，独眼龙确实离奈何桥不远了，极有可能几分钟后就会气绝身亡，从而变成自己的一顿丰盛的晚餐。

坚持就是胜利，比的就是耐心。

在希望的激励下，崆仍坚持跟随在独眼龙后面。

到目前为止，犬齿甲龙还只是捡食同类尸体，也就是已经失去知觉的、气绝身亡的同类，还从没扑杀、吞食过活的同类。这是同类不相食这条禁忌的最后一条底线，也是情感和道德的最后一条底线。

这真是一场残酷的耐力赛。天黑了，月亮升起来了，风带来了喀纳贝湖悠扬的涛声，月亮踩着喀纳贝湖的涛声，渐渐爬上了天穹，又在虫豸的鸣唱声中滑落到了西边的山峰。这是黎明前的黑暗，此时的夜浓得像一团化不开的墨。漫漫长夜都快要过去了，可独眼龙却还在蠕动着身体，爬爬停停，没有变成崆的美餐。崆已筋疲力尽了。它是冷血动物，体温本来就是随着环境温度的升降而变化，现在夜里气温低，它的体温也低，虽然不会像温血动物那样会感到寒冷，但体温一低，它的四肢就会麻木，动作就会笨拙。在饥饿与疲惫的双重作用下，崆感觉自己的身体逐渐冷却，四肢变得僵硬，背上那层硬甲还会间歇性地抽搐。它有一种恐怖的预感：自己的生命也快要耗尽了，也像风中的一盏烛火，随时会被吹熄。它不得不承认自己的判断有误，独眼龙的生命力比它想象的要顽强得多。此时，独眼龙的一只独眼在黑暗中闪闪发亮，看来它一时半会儿根本死不了，或许能坚持到长夜过去，坚持到太阳出来。不能再这样傻等下去了，崆想，再等下去，恐怕不是它去捡食独眼龙的尸体，而是要反过来了，独眼龙来捡食它的尸体！崆想，独眼龙早已是具候补尸体，所谓候补，就是即将成为的意思，独眼龙与真正的尸体没有什么本质差别，反正它迟早都是要变成一具没有呼吸、不会动弹的尸体的，还不如干脆冲过去把它扑杀掉算了。崆被自己的想法吓了一大跳，同类不相食的禁忌，就像一股无形的力量，阻止它的行动。可是，它太需要食物了，再得不到食物，它自己就会饿死，从而变成独眼龙的食物。为了不让自己变成对方的食物，它必须现在就把独眼龙变成自己的食物。但凡动物，不管是冷血动物还是温血动物，都珍爱自己的生命，都毫无例外地将自己的生命放在首位。崆想，它干脆把独眼龙视为一具已经失去了生命的尸体，这样就能减轻因触犯同类相食的禁忌而产生的罪孽感。此时此刻，月亮已经下山，启明星还没升起，黎明前的夜是如此黑暗，黑得就像一道厚厚的黑色帷幕，谁也不会看见它扑杀独眼龙的，黑暗会掩盖暴行，掩盖秘密，掩盖一切！

崆不再犹豫，悄悄绕到独眼龙身后，冷不防地扑了上去。

在漆黑如墨的夜的掩护下，一场血腥残暴的同类相食的惨剧发生了。

独眼龙的生命几近衰竭，因此它的反抗十分微弱，崆没费多少力气，三下五除二地就解决了问题。

崄觉得，活杀活吃的滋味确实比啃食冰凉的尸体要好得多，不仅肉质的味道更鲜美，还能吮吸到甘甜的血浆，真是太舒服了。

东方的天空出现了第一道瑰丽的朝霞，崄已吃饱喝足，惬意地爬上黄金滩中央一块隆出地面约半米高的岩石上，等待火红的太阳升起来，等待温暖的阳光照耀大地。从岩石上望下去，草丛里有几根白骨，那是独眼龙的遗骸。崄心里又涌起一阵罪孽感。它无法否认，在独眼龙还在呼吸、还能动弹时，它残忍地扑杀了独眼龙。候补尸体毕竟不等同于尸体呀。不过它又转念安慰自己，这是特殊情况下的特殊行为，是无奈的选择，是被迫的犯罪，下不为例，它再也不会做这种严重触犯禁忌的错事了。

然而，有了第一次就有第二次，任何坏事只要开了头，就像打开了装有魔鬼的瓶盖，要想再让魔鬼回到瓶子里去，是很难很难的。

过了几天，崄饥肠辘辘时，又遇到一个肚子受了伤奄奄一息的同类，于是，血腥而残忍的扑杀再次展开，同类相食的悲剧再次上演。

同类相食的最后一条底线终于被冲破了。

在这个过程中，崄的心变得很硬很硬。

世界上没有不透风的墙，纸是包不住火的。崆的罪孽被一些年龄与它相仿的犬齿甲龙看在眼里，记在心里。相同的罪恶在悄悄蔓延。受伤者都成了牺牲品。开始时，捕食者似乎还有顾虑，总是将目标锁定在受了重伤、生命症候已明显衰竭者的身上，然后悄悄地尾随其后，在夜幕的掩护下，秘密扑杀。但同类相食的禁忌一旦打破，捕食者的胆子会越变越大，顾虑会越来越少。渐渐地，不管是在白天还是在黑夜，只要遇到重伤者，它们就立刻扑跃上去，争相撕食，暗杀变成了明杀。

第二十一章　新型窝巢

冰雹越下越大，比银杏果还大的冰坨噼里啪啦地砸下来，砸断了树枝，砸碎了树叶，银杏树林里一片喧嚣。

泱起先钻进了茂密的叶簇，希望层层叠叠的扇形银杏树叶能像一道天然的绿色屏障，替它挡住这肆虐的冰雹。但它很快发现，自己想错了。从天空中飞快砸落而下的冰雹，很快就将它头顶的叶子打得稀巴烂。咚咚咚，一块接一块的冰雹砸在了泱身上，那感觉就像被冷弹击中，疼得它咝咝地倒抽冷气。泱想移到树冠下层去，借助横七竖八的树枝抵挡冰雹的袭击。可倒霉的是，它此刻的位置在树冠的最上层，若要爬到下层树冠去，必须经过一根长约二十多米的树枝。从上往下爬，高低落差很大，而且树枝光溜溜的，上面也没有枝叶遮挡。假如是在风和日丽的晴朗天气，泱闭着眼睛也能利索地从这根树枝上爬过去，但现在老天爷正大发淫威，狂风呼啸，冰雹铺天盖地，使这根树枝表面上结起了一层透明的冰。现在，这根树枝就像一架冰做的滑梯，能否顺利爬过去成了未知数。

泱正犹豫不决时，突然有一个名叫澈的雌性同类，抢在了泱的前面，爬上了那根长长的树枝。澈也是没有树洞可栖身的整天在树冠上游荡的流浪女，它也像泱一样被冰雹困在了上层树冠，也想爬到下层树冠找个合适的地方躲避冰雹。当澈爬出去约五六米时，冰雹如雨点般地落到了它的身上，疼得它哇哇乱叫，但它没有退路，还得继续往前爬。它又爬出去约五六米，突然，一块与卵差不多大小的特大冰雹，咚的一声，不偏不倚地砸在澈的后脑勺上。真是祸从天降！卵大的冰雹顿时四分五裂，澈也被砸晕了，它翻着白眼，哆嗦了几下，顿时从高高的树冠上掉了下去。过了一会儿，又有一个名叫坞的雄性同类，也同样爬上了那根长长的树枝。坞爬树的技巧显然要比澈强一些，在冰雹的袭击下，还能歪歪扭扭地向前爬行。爬了将近二十米时，眼看再爬几步就可进入安全的下层树冠了，突然，坞不小心踩在了滑溜溜的冰上，它惊叫一声，就像坐滑梯一样，身不由己地嗖地滑到了树下。

泱看得心惊胆战，不得不打消了到下层树冠躲避冰雹的念头。

但继续待在树冠上层，也是相当危险的。老天爷还在继续泼洒冰雹，大大小小的冰坨子像流弹一样，一块接一块地击中泱的身体。狂风吹来，整个树冠剧烈摇晃，树梢颠簸得尤其厉害，泱用四只爪子紧紧抓住细枝，才勉强没被摇晃的树枝甩出去，但它也已经被折腾得头晕眼花，快支撑不住了。就在这时，突然，前方传来了同类的呼唤声，那声音异常响亮，甚至都盖过了噼里啪啦的冰雹敲击枝叶的巨大声响，清晰地传入泱的耳朵。泱抬头望了一眼，哦，原来是坍。就在离它约几步远的叶丛里，坍焦急地望着它。泱当然明白坍响亮呼唤的用意，是在对它说：

——你那儿危险，快过来吧，我这里安全得多！

抱着一种捞救命稻草的心态，泱趁着两股狂风之间短暂的平静向坍爬去。它与坍相距也就三四米远，顺着一根平行的树枝，紧爬几步也就到了。在还没爬到坍身边前，泱认为，坍所处的位置之所以安全，是因为坍爪下的树枝更粗壮些，头顶的枝叶更茂盛些，迎风那面的树叶遮挡更厚实些。可当它来到坍的身边时，却惊讶地发现，自己竟然来到了一个半球形的物体里面。这是一个十分奇特的物体，坐落在两根树枝的交叉部位，是用无数根细枝和草茎搭建起来的。制造者巧妙地利用树杈旁纵横交错的枝丫，将这个半球形物体牢牢地固定在树枝上。半球形物体有一面是敞开的，可以自由出入，里头空间虽然不大，却足够它和坍并排躺卧。

泱所属的物种已进化成完全树营性动物。泱从小就栖息在树上，对树上的一切了如指掌，却还是第一次看见这种半球形物体。泱认为这绝对不是自然生成的东西，而是“人”工搭建的巢！

泱猜对了，这个半球形物体，是坍的一个伟大创造。

坍是在巨大的生存压力下，才想到要搭建这样一个半球形巢的。前面已经提到过，坍长得特别瘦小，也就是说身材轻盈。过树营性的生活，身材轻盈有个好处，那就是反应灵敏、动作快捷，但也带来一个明显的缺陷，那就是很容易被风刮倒。要知道，树上的风要比地面上的风大得多。它们这个物种当初是为了躲避敌害从地面迁徙到树上来的，虽历经数代，个体的身体已开始向适应树上生活的方向演化，但那是一个渐进的过程，绝非一两代就能完成。坍这一代，比起上几代生活在地面的祖先来，爪子更大更长，抓握能力空前提高，但还不能像现代鸟类那样，只要一停栖在树枝上，足底的腱鞘就会自动往上提拉，指爪就能紧紧地抠住树枝，即使睡觉也不会松开，所以不论是多大的风，也不能将成年鸟从树上刮下来。可坍就差得远了，不管它的爪子再怎么用力，也不能完全将自己固定在树枝上，再加上它体态轻盈，经常会被大风刮得摇摇欲坠。更要命的是，它身上覆盖的那些层层叠叠的羽毛，特别容易招风，大风吹来，那些羽毛就像无数小伞一样撑开，使它必须要比其他同类多花一倍的力气，才能让自己在树枝上站稳。起码有两三次了，晚上它趴在树枝上睡觉，半夜突然刮来一阵风，将它吹倒，幸亏它及时惊醒，像抓救命稻草一样抓住一根细枝，这才没有掉下树去，可它的身体是倒悬在树枝上的，就像挂在枝头的果实一样被风吹得东摇西晃，被折腾了个半死，勉强才支撑到天亮，好不容易等风停歇后，又花了九牛二虎之力，才让自己翻转过来。它身上的羽毛还在不停地生长，可身材却依然这么瘦小，坍心里明白，自己不可能永远这么幸运，不可能每一次都化险为夷。它觉得，如果再这样下去，以后肯定会有这么一次：当它搂着树干睡觉，睡梦中被突如其来的大风刮倒，或者未能及时惊醒，或者虽然及时惊醒，却未能幸运地抓牢树枝，身体就会像落叶一样被风吹走，重重地砸向坚硬的地面……它必须找一个能遮风挡雨的窝，必须找一个能安心睡觉的地方。最理想的，当然莫过于找一个树洞，风吹不到，雨淋不到，永远不必担心会在睡梦中被刮下树去。然而，对坍来说，找个树洞真比登天还难。树洞少而竞争者众多，它瘦小、羸弱，孤家寡“人”，形单影只，根本无力去和其他同类争抢。怎么办？要活下去，就必须想办法。

坍所属的物种脑细胞发达，能思考，善模仿。有一天，坍爬到树梢觅食。这片银杏树左侧，就是雄伟的阿莫错山，山下是蜿蜒流淌的钦瑙伦河，与银杏树林隔河相望的，是一道刀削斧斫般陡峭的石崖。坍看见，成千上万只阔翅岩蜂嘤嘤嗡嗡地飞舞着。它们忽而飞往钦瑙伦河畔烟雾袅袅的月牙热泉泥塘，忽而飞往陡峭的石崖，在空中形成一条飘飘忽忽的棕色长线。坍有点儿好奇，不知道这群阔翅岩蜂在做什么，便长时间盯着看。过了一会儿，它惊奇地发现，石崖中端平滑的岩壁表面上，渐渐隆起一个物体。就像大自然在表演魔术一样，这个物体开始时状如飞碟，继而变幻成盆形，最后成为球状。坍终于看明白了，这群阔翅岩蜂或许是从老种群中分离出来的新种群，或许是从别的地方搬家过来的，它们正在从月牙热泉泥塘衔来胶泥，建造蜂巢。傍晚，空中那条飘飘忽忽的长线消失了，陡峭的绝壁上，赫然悬挂着一只硕大的球状蜂巢。忙碌了一天的阔翅岩蜂，都钻进了这只硕大的土球里，只剩少数几只在洞口担当“哨兵”，警惕地飞来飞去。

当天夜里，下起了瓢泼大雨，大风将树林边缘一棵三百岁的老树都吹倒了，坍心里一直惦记着那只悬挂在绝壁上的蜂窝。这么大的风雨，一定把那只蜂窝给刮跑了吧？黎明时分，风停雨歇。坍与风雨搏斗了一夜，早已累得筋疲力尽，可它还是放心不下那只蜂窝。于是，它带着一身疲惫和一身雨水，爬到树林边缘，向石崖那边望去。结果让它很难相信自己的眼睛，那只用胶泥垒起来的粘贴在绝壁上的球状蜂巢，竟然仍完好无损地悬挂在原来的位置上！阔翅岩蜂成群结队地在蜂巢洞口进进出出。大雨初霁，朝霞红得就像胭脂，浓艳的朝霞涂抹在球状蜂巢上，远远望去，就像一颗美丽的花球。

突然间，一个伟大的灵感在坍的心中诞生了：它为什么不能向阔翅岩蜂学习，也动手建一个能遮风挡雨的巢呢？小小的阔翅岩蜂尚且能在光溜溜的绝壁上建巢，它在枝繁叶茂的银杏树上也一定能将巢建起来！当然，困难肯定少不了，阔翅岩蜂有一双宽阔、透明的翅膀，只需几分钟即可在月牙热泉泥塘和绝壁间飞一个来回，而它从银杏树上爬到热泉泥塘，一个来回少说也要两三个小时；阔翅岩蜂的家族有千千万万个成员，依靠群体的力量，在短时间内即可搬运大量胶泥，而它孑然一身，身单力薄，要搬运足够的胶泥，谈何容易？更何况一次次下到地面去，无疑要冒着被形形色色的食肉恐龙捕杀的危险。可它太需要一个能给它安全和温暖的巢了，建一个巢，就是有效地捍卫自己的生存权。纵有千难万险，它也一定要试试。

当天夜里，坍就开始动手建巢。坍虽然身体单薄，但头脑很聪明，首先，它将巢址选定在上层树冠，那儿枝条软韧，即使是会爬树的天敌也不容易爬上来，巢建在这里比那些在树干上的树洞还安全。然后，它选了个丫形树杈，底下有树枝依托，不容易倾覆。坍还想把巢藏在绿色树叶里，这样，巢十分隐蔽，从外往里看，不容易看见巢，从里往外看，树上的情况一目了然。筑巢的材料，就是随处可见的细树枝，它将长短合适的细树枝从树上咬下来，然后用胶泥将细树枝粘连在树杈上。对坍来说，这算得上是一项浩大的工程了。整个筑巢过程既危险又辛苦。坍白天不敢下树，只能等到半夜，万籁俱寂时，才像幽灵似的悄悄溜下树去，提心吊胆地在灌丛里钻行，爬到月牙热泉泥塘，匆匆衔一嘴胶泥，然后赶紧顺原路返回银杏树，用胶泥将细树枝粘连起来。尽管坍备加小心，危险还是接踵而至。有一次，坍刚从树冠下到地面，突然听到附近传来一阵沙沙的脚步声，它立刻滚进树旁的草丛，屏住呼吸，一动不动。过了一会儿，一只四米多长的大椎龙，迈着矫健的步伐，从树林深处走了出来。大椎龙几乎是擦着坍的身体走了过去，就差那么一点儿，大椎龙后脚的脚爪就要踩着坍的身体了。还有一次，坍来到月牙热泉泥塘取胶泥。月牙热泉泥塘，顾名思义，就是散发着硫黄气味的温泉，它的形状像一弯月牙，中间温度奇高，混浊的泥浆日夜沸腾，滚烫的泥珠冒出三尺高。借着微弱的月光，坍来到月牙热泉泥塘的牙尖位置，用嘴挖掘胶泥。它也只敢在月牙尖端的位置挖掘，若再往中间走几步，浓烈的硫黄味会把它熏倒，灼热的蒸汽会把它烫伤。坍趴在岸上，低下头去，在温热的胶泥间啃咬。胶泥有很强的黏性，就像糯米糕一样，不容易挖掘。坍这天晚上已经是第三次来月牙热泉泥塘取胶泥了，它疲惫困乏，神思恍惚，一不留神，身体滑进了泥塘，它挣扎着想爬上岸来，可没料到，自己越挣扎滑得却越远。泥塘边缘热乎乎的，越往中间就越烫，憋得它喘不过气来，如果再继续往泥塘中央滑，坍很快就会被烫熟的。就在这危急时刻，它的嘴碰到了从岸边一棵芦木上伸出来的一根枝条，它急忙咬住那根救命的枝条，这才侥幸地捡回一条小命。还有一次，它从月牙热泉泥塘挖了一团胶泥，衔在嘴里，顺着树干往树冠上爬，刚爬到一半，一泡同类的粪便从天而降，不偏不倚地落到它的脸上，将它糊了个大花脸，它本能地甩动脑袋，想把脸上那堆臭烘烘的粪便甩掉，不料慌乱之间却意外地将衔在嘴里的那团胶泥吞了下去。胶泥堵在它的喉咙里，咽也咽不下去，吐也吐不出来，憋得它一个劲儿地翻白眼，差点儿就要断气了。最后，它实在支撑不住了，就从树腰上滑落下来，在地上打了无数个滚，好不容易才将那团胶泥呕吐出来……辛苦就更不必说了，它夜以继日地工作，瘦了整整一圈，眼睛都熬得通红。

足足忙碌了一个多月，坍终于在树杈上建成了一个半球形窝巢。

这是一个划时代的创举。这个半球形窝巢，称得上是地球上脊椎动物最原始的建筑物，坍称得上是地球上第一个伟大的建筑师。

泱此时此刻就待在坍呕心沥血搭建的巢内。冰雹仍在噼里啪啦地下，狂风仍在像怪兽似的呼啸，泱用嘴碰了碰巢壁，这个用胶泥和细枝构筑的半球形建筑物十分坚固，根本不用担心会被狂风吹散或被冰雹砸破。狂风袭来，树冠在摇晃，半球形窝巢也随着树冠摇晃，它们就像躺在摇篮里，温暖而惬意。泱刚才在树枝上与冰雹和狂风搏斗了好一阵，早已筋疲力尽了，此时它高度紧张的神经松弛下来，有了一种昏昏欲睡的感觉，不知不觉就依偎着坍睡着了。

一觉醒来，云破天开，泱睁开眼，看见坍正伫立在巢前的一根横枝上，嘴里叼着一只还在扭动的古蜥蜴。古蜥蜴是生活在树上的小型爬行类动物，约10多厘米长，肥嘟嘟肉鼓鼓的，是泱这个种群最喜爱的食物。见泱醒来，坍便将脑袋伸进巢来，做出要给它喂食的姿势来。一时间，泱不晓得该如何应对。天下没有免费的午餐，一亿多年前也是这个道理。说心里话，泱对坍并不中意。坍身材瘦小不说，还怪模怪样地长了一身羽毛，在种群中属于有它不多、没它不少的小角色，与这样的小角色结成连理，孵化的后代肯定也是生活中可有可无的小角色，没有哪个雌性会心甘情愿地与这样不起眼的小角色交配。可是，刚才下冰雹时，它被冰雹打得无处躲藏，是坍热情地向它伸出了援救之手，坍在危难时刻帮过它，现在它好意思拒绝吗？眼下这个“人”工搭建的巢，虽然比不上树洞，但比在树枝上风餐露宿强一百倍。最让泱动心的是，巢里铺着一层草丝和从坍身上掉落的羽毛，这让巢内显得柔软而舒适，很适宜产卵抱窝。它太想要个窝了，一个能遮风挡雨的窝，一个累了能安安稳稳睡个觉的窝，一个能让它没有后顾之忧地养育后代的窝。说到底，它想要个家，而坍恰恰能给它这样一个窝，能给它这样一个家。它还有什么可挑剔的呢？

泱犹豫了一会儿，最后还是羞答答地接受了坍馈赠的古蜥蜴。

不久，泱就在半球形巢里产下了四枚卵。又过了一段时间，泱顺利孵化出四个小宝宝。让泱稍感遗憾的是，四个小宝宝刚孵化出来，肩胛与前肢间就粘连着一层半透明的薄膜，没过几天，薄膜和脊背上就开始长出毛茸茸的羽毛。唉，种瓜得瓜，种豆得豆，这也是没法子的事啊。

在泱和坍精心的照料下，四个小宝宝健康平安地长大了。

不用流血杀戮就可成功养育后代，泱就是一个活生生的例子。榜样的力量是无穷的，许多在树冠流浪的雌性纷纷效仿泱，寻找有本事自己搭建窝巢的雄性。性选择具有非凡的魔力，能在一定程度上改变物种的演变方向。既然雌性都愿意嫁给能筑巢的雄性，那肯定就会有雄性不辞辛劳地搭建窝巢。

树洞难求，平均几棵大树上才能找到一个适宜居住的树洞，但适宜筑巢的树杈却很多很多，随处可见，平均一棵大树上就有十多处。

一场和平的竞争在雄性间迅速展开。不需要诉诸武力，也不需要以命相搏，它们需要的是勇气、毅力和吃苦的精神，需要的是聪慧的头脑和高超的模仿能力。

当然，筑巢也会有一定的风险。有些雄性在前往月牙热泉泥塘取胶泥时不幸遭天敌捕杀，有些雄性因过度劳累而死，但不管怎么说，这些比起为抢夺树洞而发生的残酷争斗来说，死亡率还是降低了。

生命的链条看起来很脆弱，但实际上却非常坚韧，它一环紧扣着一环，生命就是凭此由弱小走向强大，由失败走向胜利。

很快，泱的种族慢慢繁盛起来，种群中个体的数量直线攀升。之前为争夺树洞而爆发的种内战争、那场会导致种族灭绝的危机，就这样烟消云散了。

久而久之，会不会筑巢，成了雄性能否获得雌性青睐的必备条件。

有意思的是，那些身体相对瘦小、性格相对懦弱的雄性更愿意自己动手去筑巢，这些雄性无法利用强悍的体魄从其他同类手中攫夺树洞，所以，如果它们想要有个安稳的巢，要想得到雌性的青睐，唯一可行的办法就是自己动手筑巢。而那些身强力壮的雄性，似乎更喜欢以暴力方式获得树洞，树洞巢肯定比“人”工巢优越，用暴力去攫夺一个树洞远比慢慢搭建一个“人”工巢更干脆利索、更省心省力、更激情澎湃、更充满豪情壮志。然而，靠暴力去攫夺树洞，只有百分之五十的胜算，还会伴随百分之五十的死亡概率。久而久之，这个物种中的强悍者和好斗者渐渐被淘汰出局，而瘦小者和羸弱者反而得到了生存机会。

大自然的筛选机制就是这么奇妙而复杂。

第二十二章　疯狂竞争

黄金滩上，小犬齿甲龙同类相食的惨剧还在往更严重的方向发展。

受伤者毕竟不多，所以在犬齿甲龙中也算得上是一种稀缺资源，并不是想找就能立刻找到的。那一天，崆在黄金滩游荡觅食，它没能找到可食的昆虫、蠕虫和其他虫类，当然只能将眼光投向那些受了重伤、生命力衰微的同类身上。可是，今天它的运气实在太差了，找了整整一天都没找到合适的对象。不知不觉又到了夕阳西下的黄昏。黄金滩上，到处都是和崆同龄的小犬齿甲龙。不经意间，崆发现，自己来到了一丛开满蓝色木兰花的灌丛旁。侏罗纪是开花植物的初始期，森林里和草原上只有为数不多的花卉，木兰花是这个时期比较常见的花卉品种。得再过两千万年，到了白垩纪，各种颜色、各种形态的开花植物才开始兴旺繁盛起来。灌丛里幽暗潮湿，是有可能找到可食的虫子或小型爬行动物的。开满蓝色木兰花的灌丛吸引了七八只与崆差不多大的小犬齿甲龙。大家都抱着碰碰运气的想法，钻进灌丛寻找，结果却令所有觅食者失望：那里除了无法享用的泥土和蓝色木兰花外，一无所有。遥远的地平线上，一轮硕大无朋的太阳正在徐徐滑落，太阳喷吐着红色光焰，给大地涂抹上了一层浓浓的血色。对冷血动物来讲，它们的体温靠太阳调节，温暖的阳光就是它们生命的热能，一旦太阳落山，它们的体温就会降低，身体就会变得迟缓，对于那些处在饥饿状态的冷血动物来说，它们非常害怕黑夜，非常留恋太阳。

亲爱的太阳正一点儿、一点儿地从地平线上消失，寒冷的、饥饿的、恐怖的长夜就要来临。

围聚在开满蓝色木兰花灌丛边的七八只小犬齿甲龙，都不约而同地抬头凝望着地平线上那轮红彤彤的夕阳，嗷嗷呜呜地发出惊恐不安的叫声。这既是对夕阳吟唱的挽歌，也是对黑夜发出的诅咒。

血色黄昏，对饥饿的冷血动物来说，是一个心情特别容易变得烦躁、脾气特别容易变得火暴的时刻，也是一个情绪最容易冲动的时刻。

也不知是谁带的头，一双双凝望太阳的眼睛，突然转而凝望身边的同类。它们的目光中既有对夜的恐惧，更有对食物的渴望。

要是能填饱肚子，它们的身体就不会感觉那么僵冷，它们就有力量熬过漫漫长夜，迎接第二天的太阳。

峌也瞪大眼睛仔细打量身旁的同类，希望能发现一个身上带伤的。可遗憾的是，围聚在这里的七八只小犬齿甲龙，不仅没有满身污血、奄奄一息的重伤者，就连仅受了皮肉伤的轻伤者也没有。峌观察了好几遍，身边的同类个个完好无损，身上连块伤疤也找不到。

其他的小犬齿甲龙，也都瞪大眼睛，用审视的眼光互相打量彼此。

它们个个都很失望，个个都很失落。

没有受伤者，按照约定俗成的惯例，也就没了可供充饥的食源。

然而，饥饿催生的贪婪、喋血杀戮的本能，是难以自控和压抑的。

半个太阳已沉落到地平线下面去了，暮色笼罩荒原。

落日余晖里，围聚在开满蓝色木兰花灌丛边的七只小犬齿甲龙，半张脸被夕阳照亮，半张脸被暮色涂黑，眼珠子被饥饿和贪婪烧得通红，模样狰狞可怖。

很难说是谁挑的头，灌丛旁所有的小犬齿甲龙不约而同地将贪婪的目光锁定在了一个名叫爝的雄性身上。大概是营养不良的缘故，爝的身材比同龄伙伴要显得瘦弱些。开始时，爝并不清楚大家把目光集中到它身上意味着什么，它还以为是自己身上沾了蓝色木兰花，或者发生了其他什么稀罕事，所以才吸引大家眼球的，于是它扭动脖颈在自己身上左右查看，却什么也没发现。它疑惑地环视同类，想告诉大家：

——我身上没什么好看的呀，你们干吗要盯着我啊？

然而，一双双沉默的目光，仍像被磁石吸引了似的聚焦在它身上。突然间，爝似乎意识到了什么，眼睛里透出一丝惊恐，并且浑身发抖。它拼命地扭动身体，似乎急于向大家证明，自己的身体完好无损，既没有流血的伤口，也没有任何伤疤，按照它们不成文的禁忌，它不属于可食之餐！然而，那些饥饿的、凶险的、令它心惊肉跳的目光仍死死地纠缠着它。暮色凝重，四周一片寂静，只有微风拂动草尖的沙沙声。爝听得见自己剧烈的心跳，它感到一种从未有过的巨大恐惧，它的精神彻底崩溃了，它嗷地号叫一声，仓皇逃窜。爝的逃窜，仿佛是向同类发布了一道追击令，周围几只虎视眈眈的小犬齿甲龙便一拥而上……

没有其他理由，爝最弱，所以爝就是牺牲品。

黑夜像块遮羞布，遮住了丑陋和罪孽。

在一个群体中，谁最弱，谁就会被无情地淘汰，这就是声名狼藉的末位淘汰制。早在侏罗纪的辽西地区，叱咤风云的犬齿甲龙就已经开始玩这种残酷的末位淘汰的游戏了。

罪恶的游戏慢慢流行开来，美丽的黄金滩成了犬齿甲龙同类相食的角斗场和屠宰场。

崆不再去想扑杀同类、吃掉同类会有什么严重的后果，眼下能让自己活下去才是最最重要的。思考无益，多想费神。思考是要耗费能量的，感情是要耗费能量的。崆这个种群不思考，也不需要任何感情。它们活着，就是三步曲：觅食、交配、产卵。吃同类的血肉——不仅吃已经死去的同类的血肉，还吃仍活着的同类的血肉，这个过程铸就了它们的铁石心肠。它们的身体越来越强壮，皮肤也越来越呈现出甲胄化的趋势。与此同时，它们的大脑却越来越萎缩，性格越来越粗糙，目光越来越阴沉，情感越来越冷酷。它们变成了所有冷血动物中最冷血的一族。

当这些新生的犬齿甲龙满一岁龄后，便相继离开黄金滩，奔赴广阔天地，奔赴四面八方，它们是新一代的犬齿甲龙。与祖辈不同的是，它们已不再相信同类不相食这条禁忌，它们早已挣脱了这条精神枷锁，它们从小就习惯了大欺小、大吃小这种血腥的种内竞争和种内倾轧，随着它们的足迹向广袤的荒原延伸，这种陋习也被带到了四面八方。

第二十三章　血的教训

潆蹲在银杏树上半球状窝巢前，用忧郁的眼光望着正在枝杈间蹒跚学步的泓、塬和洳。泓、塬和洳是潆四个月前孵化出来的一窝小宝贝。潆一窝生了四枚卵，其中一枚卵不知什么原因没能成功孵化出来，只有三只小恐龙正常出壳，所以潆现在有三个小宝贝。

潆的丈夫名叫垸，是一个筑巢技巧颇高的雄性，所筑的巢结实、宽敞、漂亮。虽然垸的年纪有些大，它已经八岁了，但潆还是毅然决然地投入了垸的怀抱。不幸的是，四个月前，下了一场暴雨，一条青蛇状的闪电正好落到潆所在的银杏树上，只听轰隆一声巨响，半球形窝巢的边缘被炸飞了。虽然没伤着潆和正在孵化的卵，但它们全被暴雨淋湿了，一家人在风雨中瑟瑟发抖。垸毫不犹豫地开始冒雨修补窝巢，一趟接一趟地到月牙热泉泥塘取来胶泥，叼来合适的细枝，紧张地忙碌了小半天，才把被雷电炸飞的巢边缘重新搭建起来。暴风雨被成功地阻挡在巢外，潆和卵壳里的小恐龙不必再受风雨侵袭之苦，但垸却在粘接好巢边缘的最后一根细枝后，喘咳了数声，从嘴里喷吐出一口鲜血，就从树上一头栽落下去。也就在同一时刻，三只小恐龙相继蹭破卵壳，来到了这个世界。

潆就这样成了单身母亲。

潆像一切孱弱的雌恐龙一样，十分担心自己小宝贝的命运。在弱肉强食的大林莽里，每时每刻都可能发生血腥的屠杀。

潆是泱的孙女，也就是澄六代。

潆继承了澄这个家族的一切特点：瘦小、轻盈、感情丰富。

也难怪潆会忧心忡忡，小宝贝们长得实在太弱小了，即使它们的身体完全发育成熟，也只有异龙的卵的一半儿大，也只抵得上梁龙的一点儿尾巴尖儿。这是一个靠发达的四肢、锋利的牙齿和锐利的爪子求生存的时代，只有体形庞大的恐龙才能横行天下。像潆这样的弱小种族只好小心翼翼地躲在树上过日子。即使它们整天待在树上，危机仍接踵而至，那些身手矫健的小盗龙和北票龙竟然也学会了爬树，它们瞪着贪婪的眼，顺着树干爬上来，毫不客气地就把潆这样的小生命一口吞食掉。

蛮荒世界，没有公理。不是我吃掉你，就是你吃掉我，而弱小就意味着被吃掉。

潆对自己的种族十分失望。现在，它们不仅体格娇小，颌下的牙齿也蜕化得稀松酥软，根本无法进行有效的噬咬，无法给天敌构成威胁；它们的嘴巴虽然角质化，出现了类似喙这样的器官，但只能啄得开新鲜的浆果；两条前肢也越来越萎缩，四根指爪只剩下三根叉状软骨，既无法在搏斗中撕扯，也不能在觅食时攫抓，前爪的原始功能基本完全衰退，只是在爬树时，还能勉强拉住粗糙的树皮；在前肢部位靠近肩胛的地方，莫名其妙地长出两块S形的骨骼，骨骼外面还长出了一层薄膜，那两块骨骼宽大而薄脆，能遮盖半个身体，但它们既不能当防卫武器，也不能当猎食工具，反而使灵巧的身体变得笨拙，走起路来左右摇晃，难以保持平衡，严重影响奔逃速度；最要命的是，肩胛处那两片宽大而薄脆的骨骼上还长出一层厚厚的毛来，这毛也特别，不像别的动物身上的毛那样丝丝缕缕的，呈细线状，而是一片一片的，像细长的树叶，层层叠叠地覆盖着。那时候，地心翻腾的岩浆不断地释放着热能，太阳也整日高悬在空中，因此整个地球就像只炽热的烤箱，除了偶尔会有几场暴雨和冰雹外，通常气候炎热，根本用不着这层层叠叠的羽毛来保温护暖。它们身上的羽毛，色泽艳丽，红黄蓝绿，格外醒目，让蒙的同类们极易成为凶猛的食肉恐龙捕猎的目标，所以那羽毛不仅毫无用处，反而成了负担和累赘。蒙的许多同类，就是因为肩胛上那层五颜六色的、讨厌的毛，而招来杀身之祸的。

蒙的种群的脑袋与身体的比例也十分不协调。瞧那些在地球上横行霸道、所向披靡的异龙、梁龙和雷龙，它们的头非常小，与身体相比的话，大约是身体的二万五千分之一或五万分之一；而蒙的种群，头的体积大约占身体的十分之一。脑袋是个脆弱的器官，对亘古时代的动物来说，大了并非好事，不仅易受伤害，还会饱受感觉敏锐的折磨。像异龙、梁龙和雷龙这些庞然大物，因为脑袋小，反应就很迟钝。如果一块石头砸在了异龙的尾巴上，要过十秒钟，它才能感觉到疼，而蒙的种族，别说石头砸在身上了，就是一片树叶落下来，都会感到惊恐不安，光是听到天敌的吼叫，就会害怕得瑟瑟发抖。在一个你死我活的生态环境里，感觉迟钝绝不是贬义词，而是一种幸运、一种优势、一种造化、一种特异功能。要敏锐的感觉干什么？只是徒增烦恼与痛苦而已！

不仅生理构造方面有缺陷，它们性格上的缺陷尤为严重。恐龙之所以能成为地球上的霸主，除了身体庞大外，很关键的一条，就在于它们性格残忍，麻木不仁。恐龙之间没有友谊和亲情，即便是在母子之间，也没有养育和被养育的关系；小恐龙从蛋壳里钻出来，几分钟后就会觅食，因此它们长大后，没有多余的感情，也没有任何精神束缚，它们无所顾忌，只需要用强健的体魄巧取豪夺，去占据更大的地盘和更多的食物。声名狼藉的犬齿甲龙就是这方面的典型，它们饥饿时不惜同类相食，凶暴残忍到了登峰造极的地步。而潆所属的种族在这方面就差得远了。它们的后代生下来时很脆弱，全身光溜溜的，连眼睛也睁不开，要是没雌恐龙守护在身边，一天也活不下去。此外，小恐龙的喂养期长达大半年，这期间，雌恐龙呕心沥血，没日没夜地冒着风险外出觅食，还要将小宝贝的粪便含在嘴里搬运到远离巢穴的地方，以免粪便的气味引来凶恶的天敌。如此艰辛而又甜蜜的养育过程，导致母子双方有了一种谁也离不开谁的黏黏糊糊的情感。比如潆，它在外出觅食时，心里就老惦记着留在巢里的三个小宝贝，牵肠挂肚，忐忑不安，而泓、塬和洳，只要潆一离窝，便急切地盼望它早早归来，只要它的身影在窝巢前一晃动，它们便会叽叽喳喳地欢叫，马上就钻到它的腹下撒娇。

这种谁也离不开谁的黏黏糊糊的情感是有毒的，也是危险的。因为这种爱，母子同亡的悲剧屡屡发生。曾经有个名叫湃的雌恐龙，抚养着渲和垓两只小宝贝。一天，湃外出觅食，一只小盗龙闯进了湃的巢，吞食了毫无防卫能力的渲和垓。等湃回来后，发现两只小宝贝都不见了，顿时肝肠寸断，整日守在空窝边，不吃不喝，悲鸣泣号，几天后也死去了。假如换了情感粗糙的其他恐龙，是绝不会发生这样惨不忍睹的殉葬悲剧的。

在一个生存竞争十分激烈的环境里，情感细腻无疑是作茧自缚，情感丰富无疑是能量浪费，这些都是致命的缺陷。

潆不明白自己的种族怎么会在如此凶蛮的世界里退化成现在这个样子。它觉得，身体的弱小和变异，情感的细腻和丰富，都是一种明显的退化。也许，造物主造出它们这个种族来就是让它们给凶恶的食肉兽充当食物。

唉，弱者要想活下去，实在是太难了。

潆不禁愁肠百结，它抬头望望天空，天空碧蓝如洗，只有几片黄叶，在风中飘旋，显出几分空旷和寂寞。

潆的巢搭在一棵雄株银杏树上。

银杏树是一种罕见的、分性别的树种，雄株和雌株共生共长，永相厮守。一亿多年以后，中生代侏罗纪的绝大部分植物都被埋进地下成了化石，唯独银杏树却奇迹般地活了下来，所以被人类称为活化石。

离潆所在的雄株银杏树不远的地方，有一棵雌株银杏树，树冠间那只半球状的窝巢里住着汀和它的一对小宝贝。

汀也是一位单身母亲。在汀孵卵期间，汀的丈夫——一个名叫垲的风流雄性——在一天早晨不辞而别，抛下汀和一窝卵，与另一个名叫涡的年轻雌性结伴私奔了。

汀原本也是产了四枚卵，并全部孵出小恐龙。但由于单身母亲照顾不周，有两只小恐龙出壳三天后就生病夭折了，如今汀的膝下只剩一双儿女。

潆的一家和汀的一家是邻居，或许由于都是单亲家庭的缘故，两家相处得很友好。汀的那对小宝贝比潆的三个孩子早十几天孵化出来，女儿叫泖，儿子叫垅。此刻，汀正忙着训练泖和垅怎样在银杏树扇形叶片下和树枝旋涡状的节疤里寻找并啄食斑点蠕虫。

明丽的阳光下，汀的一家子在枝繁叶茂的银杏树上东奔西走。

突然，离雌雄两株银杏树不远的一片树蕨丛无风自动，里面传来稀里哗啦的声响。潆警觉地从半球形巢中探出头，透过树叶的缝隙望过去，顿时吓得浑身发抖，一只饥饿的科摩盗龙正瞪着小眼珠，朝这儿走来。这只科摩盗龙长约十三四米，浅灰色的身体，尾部两侧靠近臀部的地方有两块状如圆月的黑色斑纹，或许可给它起个诨名叫黑臀科摩盗龙。此刻，遍地蔓生的蕨类植物被黑臀科摩盗龙齐刷刷地压出一条甬道来。

潆急忙将在树枝上蹒跚学步的泓、塬和洳拽进巢来，幸亏三个小家伙都没跑远，就在一根离半球形窝巢咫尺之遥的横枝上。一眨眼的工夫，潆一家就都藏妥了，潆还用嘴将两片树叶移过来盖住巢口，母子四个紧紧挤在一起，连大气也不敢出。

对面雌株银杏树上的汀也发现危险正在迫近，也想把两个小宝贝拽进巢来躲藏，但恰巧这时候泖和垅爬到左侧树梢上找食去了，而左侧树梢离窝巢有好几丈远，汀慌慌张张地赶过去，刚要把泖和垅往窝巢里拽的时候，黑臀科摩盗龙已来到雌株银杏树下。汀更乱了方寸，心急火燎，不小心蹬落了几块树皮碎屑，不偏不倚，正好掉在黑臀科摩盗龙的脑壳上。唉，乱中出错，没乱了天敌，反而乱了自己。

十秒钟以后，黑臀科摩盗龙感觉到树上有动静，抬头望了望，看到了惶恐的汀的一家子，于是，它丑陋的脸上立刻浮现出狰狞的表情，并开始沿着树干攀爬。

科摩盗龙是侏罗纪最凶悍的食肉类恐龙之一，别看它体态庞大，走起路来显得有点儿笨拙，但捕捉躲藏在树冠里的猎物时，却相当灵巧。科摩盗龙把强有力的尾尖支在地上，用粗壮的四肢紧紧抠住树干，然后竖起十几米长的躯体，把长长的脖颈伸向躲避在树梢上的猎物，锋利的牙齿咔嚓一下就可以结果猎物。

黑臀科摩盗龙那张臭烘烘的大嘴伸向惊慌失措的汀和它的两个小宝贝。汀蹲在树丫上，用牙齿早就蜕化了的喙，用萎缩得早就变了形的前爪，朝黑臀科摩盗龙啄咬。弱小的汀与强悍的科摩盗龙搏斗，无疑是以卵击石。潆躲在对面的雄株银杏树上看得很真切，汀肩胛上那层五彩的毛蓬松参立，它尽量膨胀自己的身体，虚张声势地大声嚣叫。可在强悍的黑臀科摩盗龙面前这样做，显得非常滑稽可笑。潆心里很明白，汀之所以这样做，绝不是它想入非非，以为这样能吓唬制止黑臀科摩盗龙行凶作恶，而是想争取时间，掩护泖和垅赶快逃命。汀用自己的身体挡住泖和垅，拼命扇动肩胛处那两片薄脆无用的骨骼。它是想让身后的两个小宝贝趁机钻进茂密的树叶中，然后顺着树枝爬到毗邻的树上去。大林莽里的大树一棵紧挨着一棵，树冠上枝丫交错，连成一片，从这棵树爬到另一棵树上去是很容易的。黑臀科摩盗龙望着胆敢与它厮杀的汀，脸上露出惊诧的表情，它大概在想：小小的汀怎么会如此不自量力！黑臀科摩盗龙要等到脸上惊诧的表情换成愤怒的表情后，才会张开巨口去咬汀。科摩盗龙反应迟钝，一种表情转换成另一种表情，起码要十秒钟时间，这段时间足够泖和垅逃之夭夭了。死一个总比死三个要好，逃掉一个算一个，这是最明智的选择了。汀用血肉之躯挡住黑臀科摩盗龙的目的也就是在危急关头给自己的宝贝们创造一个逃生的机会。

机会转瞬即逝，理应迅速把握！

可是，泖和垅不仅没抓住有利时机转身逃命，反而朝前爬了两步，和汀贴在一起，也向黑臀科摩盗龙张牙舞爪地嗷嗷叫嚣。唉，小傻瓜啊，你们娇小的身体和稚嫩的爪牙，怎能奈何得了穷凶极恶的黑臀科摩盗龙？别说你们三个，即使三十个，还不都是黑臀科摩盗龙的口中食、腹中餐！何必要死在一起呢？赶快逃吧！

汀用肩胛上那两块薄脆无用的骨骼猛烈推搡、拍打着泖和垅，竭力想在最后一秒钟改变全家死在一块的可悲局面。遗憾的是，泖和垅还是贴在汀的身边，怎么撵也撵不走。天哪，这该怎么办？

十秒钟很快过去了，生的机会白白溜走了。黑臀科摩盗龙小眼珠里喷出愤怒的光焰，长长的脖子朝前一耸，一口就咬住了汀的身体。汀小小的脑袋从黑臀科摩盗龙牙缝间伸出来，它的两只眼睛凝望着苍茫的天穹，好像都要从眼眶里蹦出来了，它的上颚和下颚严重错位，整个脸扭曲变形，痛苦异常。紧接着，它发出了一声撕心裂肺般的长啸，随着叫声，它的嘴里喷出了殷红的鲜血，这是泣血悲鸣，这是血的控诉！

潆也是母亲，它完全能体会和理解在生命行将结束的最后一瞬间汀悲苦的心境。这不是身体被锋利的牙齿咬住后所产生的肉体上的痛苦，而是对自己所属的种族彻底的绝望，是信仰被摧毁后的灵魂上的痛苦。汀是在责问老天爷，控诉造物主：

——为什么给了我们弱的身体，还要追加弱的性格？为什么给了它们强的身体，还要追加强的性格？

汀在生命的最后时刻一定是痛悔莫及了：假如在漫长的抚养期里，自己没和小宝贝们培养起太浓稠、太深沉、有毒有害的情感，小宝贝们或许就不会舍不得弃它而去。

黑臀科摩盗龙的脖子蠕动了一下，便把可怜的汀囫囵吞进了肚里。

泖和垅还犯傻似的待在黑臀科摩盗龙的大嘴前，既不躲避，也不逃命，抻直脖子发出一声声悲鸣，它们还沉浸在母亲不幸丧生的巨大痛苦中而不能自拔；它们的心和母亲的心系得太紧、连得太紧、贴得太紧、黏得太紧，根本无法再割开了。

这反倒方便了黑臀科摩盗龙，泖和垅就像送到嘴边的甜点心，不用追逐，不用捕捉，甚至不用挪动身体，省心省力，轻松愉快，吃了一个再吃一个。吃完后，它舔舔舌头、咂咂嘴，然后心满意足地离开了。

潆在雄株银杏树上看得心惊肉跳，一个想要重塑泓、塬和洳的性格的念头油然而生。

第二十四章　膨胀的野心

一群犬齿甲龙将一只半大的两栖鱼龙扑杀了。

崆很幸运，抢到两栖鱼龙的一条腿。它将食物搂在怀里，用锋利的锯齿大口大口地撕扯两栖鱼龙腿上的肉，以最快的速度吞进肚去。四周都是其他犬齿甲龙贪婪的目光，它只有尽快将肉吞进肚子里去才是最保险的，否则，稍不留神，已经到嘴的食物就有可能被其他犬齿甲龙抢了去。两栖鱼龙那条腿足足有几十公斤，崆拼命地吃，吃得肚子鼓得都像蛤蟆肚了，都开始不断打饱嗝了，不过面前还剩着一堆软骨空皮，可它实在吃不下去了。此时，有一只雄性犬齿甲龙慢慢地靠拢过来，垂涎欲滴盯住岖面前那堆软骨空皮，企图分一杯羹。岖凶狠地朝它号叫着，张牙舞爪地摆出一副誓死捍卫的架势来，迫使这只雄性犬齿甲龙退却。岖像个饕餮鬼一样，再次将面前那堆软骨空皮塞进嘴巴，艰难地吞咽进去，直塞得两只眼睛都鼓了出来……它必须拼命进食，必须拼命让自己的身体膨胀，必须让自己变得更高大强壮。

岖是岫五代，与老祖宗岫相比，岖宛如是另一个物种的成员。它的身体有四五米长，是老祖宗岫的三四倍，嘴里利牙交错，脊背上铠甲坚硬，不仅外表形象与老祖宗岫差异极大，而且它在大自然食物链中所处的位置与当年的岫也有天壤之别。老祖宗岫活着的时候，它们这个物种处于大自然食物链的中下端，许多食肉爬行动物都将它们视为美食，到处都是贪婪、凶残的天敌，而到了岖这一代，犬齿甲龙已一跃占据了大自然食物链的顶端，普天之下的动物，都是岖这个物种的可食之餐。

按理说，一个物种进化到大自然食物链顶端这样的位置，就该明智地停止让身体继续高大强壮了。虽然一般来说，在蛮荒的丛林里生活，身体越高大、越强壮，就越具有竞争优势，但任何事情都有正反两面，大有大的坏处，身体的大小是与食物的需求量成正比的，身体越大，消耗的热量也就越多，对食物的需求量也就越大，一旦食物供给出现问题，就可能出现饥荒，这个种族内的成员饿死的可能性也就越大。所以，任何动物都不会无限制地让自己变得更高大更强壮，而是会将自己身体的进化程度控制在一个恰当的限度之内，既让自己的身体适度强壮，以具备竞争优势，又让身体的进化程度与食物的数量、获得食物的难易程度达到一个相对平衡。

这种平衡一旦被打破，就意味着灾难要降临了。

不幸的是，每一只犬齿甲龙都无限制地企望自己变得更强壮。你身长四米，我就拼命吃呀吃，让自己长到四米半；你身长四米半，我就使劲吞咽更多的食物，努力将自己撑到五米长。

其实，犬齿甲龙在身长两米半时，就能用集体狩猎的办法扑杀有“侏罗纪巨无霸”之称的梁龙了，它们已经列居大自然食物链的顶端了，普天之下，已没有其他类型的恐龙能与犬齿甲龙匹敌抗衡。换言之，犬齿甲龙锐利的牙齿、坚韧的背甲、强悍的品性、高速的繁殖机制和集体狩猎的觅食方式，使它们在身长两米半左右时就能称霸天下了。因此，两米半的身长是最有利于犬齿甲龙这个物种生存和发展的。如果它们继续无限制地膨胀自己的身体，对一个物种来说，只会造成物极必反的结果，使它们逐步走向衰亡。

崆的身体已经有四米半长了，但它仍感到不满足，仍时时有一种无法消除的恐惧和担忧。崰并不惧怕其他任何食肉恐龙，再大、再凶猛的食肉恐龙见到犬齿甲龙的影子，闻到它们的气味都会被吓得退避三舍，它唯一惧怕的就是被同类吃掉。崰这代犬齿甲龙，从小就是在同类相食的恐怖环境中长大的，所以它们恶习难改。当食物丰盛时，谁也不会想到要扑杀同类，可一旦食物匮乏，它们的种群内部就会不断上演同类相食的惨剧。有一次，一群犬齿甲龙围攻一只庞大的马门溪龙，搏杀了好一阵，马门溪龙身上已经多处挂彩，空气中弥漫着一股浓重的血腥味，眼看胜利在望了，就在这时，犬齿甲龙们一不留神，让这只已经负伤的马门溪龙逃跑了。眼看快到嘴的食物没了，犬齿甲龙们更加饥饿难忍，可附近又找不到其他食物，于是，一场残忍的同类相食惨剧上演了，两只体瘦力弱的犬齿甲龙成了牺牲品。

新一代犬齿甲龙的身体虽然比祖先大了三四倍，但若要猎杀梁龙、雷龙、马门溪龙这样的大型恐龙，仅凭单个犬齿甲龙的力量，是不能成功的，它们必须依靠集体狩猎的方式。可众多犬齿甲龙聚集在一起，一旦找不到食物，就会发生大欺小、大吃小的悲剧。久而久之，每一只犬齿甲龙都把同类看作最危险的天敌。一看到同类的影子，它们的神经就会高度紧张；一看到同类向自己靠近，它们就会心惊肉跳，高度戒备，生怕遭到对方致命的攻击。

不聚到一起就没法扑杀大型猎物，可聚到一起又会互相将对方当做食物。

这是无法解开的死结，一种怪异的二律悖反。

为了不被同类吃掉，必须让自己更高大、更强壮，为了能让自己更高大、更强壮，必须吞吃更多的食物，而对食物的需求量的急剧上升，又进一步造成了食物的匮乏，从而引发了更多的同类相食的惨剧。

同类相食的陋习、频繁的种内竞争，使得犬齿甲龙在错误的进化道路上越走越远。

崆将面前那堆软骨空皮通通吞进肚里去，只剩下一根无法咬碎的腿骨，这才把悬着的心放了下来。它的肚皮已膨胀到了极限，现在只能艰难地迈动四肢，爬到一块岩石上晒太阳，让温暖的阳光帮助它消化胃里的食物。它惬意地打着饱嗝，昏昏欲睡。它梦见自己的身体正在迅速变大，足足有五米长，没有谁见到它不害怕的，它一跃成为种群中的大姐大，顶天立地，傲视群雄，再也不用担心被同类当作食物了。

虽然这只是个梦，但崆决心为实现这个梦想而奋斗。

第二十五章　重塑小恐龙性格

潆决心要重塑泓、塬和洳的性格。

潆觉得邻居汀的儿女垅和泖与其说是死在凶恶的黑臀科摩盗龙的手里，还不如说是死于自己性格的缺陷。母子间的亲情像一条无形的绳索，不仅捆住了泖和垅的身体，还捆牢了泖和垅的灵魂，使得汀一家子像一串被捆扎好了的甜点心，让黑臀科摩盗龙轻而易举地把它们吃了个精光。

它不能让汀一家的悲剧在自己的家里重演，它不能让食肉恐龙把它的三个宝贝也当成甜点心吞食掉。

潆知道，无论自己如何努力，也改变不了自己种族的生理构造，弥补不了它们身体上的缺陷。它无法给小家伙们动外科手术，将它们肩胛上那两片薄脆无用的骨骼切割下来，也无法使它们萎缩的爪重新变得锋利，使它们蜕化的牙重新变得锐利，无论它怎样辛苦地给小家伙们喂食，也无法使它们娇小玲珑的体态变得强健粗犷。它曾试着把小家伙们身上那层五彩缤纷的、极易使它们成为捕猎目标的长毛一根根啄掉，但没过多久，长毛又长出来了，而且比原先更茂密、更艳丽。生理上的弱小是无法改变的，但是，精神上的弱小是可以改变的，性格上的缺陷也是可以弥补的。身体弱小再加上精神弱小，就是双重弱小，生理缺陷再加上性格缺陷，就是双重缺陷，这必然会引发双重灾难，导致双重悲剧。但如果精神强悍了，性格完美了，就能淡化弱者的劣势，减轻弱者的灾难。

潆要帮助泓、塬和泇塑造一种能适应大林莽弱肉强食法则的新品性。具体地说，就是要去掉那条在关键时刻会束缚住它们的灵魂的无形绳索，把它们丰富细腻的感情磨砺得粗糙。在大林莽中生存，需要的是狠毒无情和麻木不仁。

改变个体的行为方式，最有效的办法莫过于用食物来诱导了。潆叼来软体小虫，不再像过去那样按次序喂食，而是故意将小虫高悬在三个小家伙的头顶，摇晃着，诱惑着。小家伙们在饥饿的逼迫下，把脖子伸得老长，不停地跃动着，蹿跳着，都想吃到这美味佳肴。可蒙偏不给，而是长时间地逗引它们。饿极了的小家伙们就开始互相挤对，你推我，我搡你，你咬我，我啄你，不停地争斗抢夺。这很好，蒙十分满意，争斗抢夺理应是它们“人”生的第一课。草和草抢夺阳光，树和树抢夺养料，一切生命都是靠力量抢夺生存权的。在争抢食物的过程中，泓表现得尤为出色，它总是用后爪踩住塬的背，用两只萎缩的前爪钩住洳的脖子，把它们全都压在自己的身下，从而一口啄走蒙嘴里的小虫。

这就叫巧取豪夺，是大林莽赞美的作风。

塬和洳也不甘示弱，眼瞅着食物要被泓独享了，一时间也急了眼，便一起扑到泓的身上又撕又咬，把小虫从泓的嘴里又抢了出来，然后转眼间，塬和洳又由盟友变成对手，再次互相噬咬争抢。银杏树半球形巢里一片乌烟瘴气。

这才是磨炼胆魄的最佳成长环境。

没多久，小家伙们就变了，它们不再互相依偎成团，也不再互相叽叽喳喳地唱友爱的歌，它们明亮活泼的眸子开始变得阴沉呆板，它们在小小的窝巢里各自占据一个角落，即使睡觉时也睁着一只眼睛，像防贼似的互相防备着，那冷酷的眼神，好像恨不得把对方给生吞活剥了，同胞间以前的情谊被荡涤得一干二净。

心血没有白费，成效还算是显著的，蒙想。

潆开始着手强化孩子们灵魂深处那种已萌发的你死我活的竞争意识。潆觉得，它们的竞争意识光停留在同辈之间仍然是远远不够的，它们还应该学会用冷漠的眼光看母亲，看巢外的大林莽，看整个世界！它要让孩子们学会，在紧急关头，应该毫不犹豫地弃母亲而去。汀一家子的悲剧给潆留下的教训太深刻了，它有一种预感，总有那么一天，类似的大祸也会降临到自己和三个小宝贝的头上。为了能让孩子们逃过劫难，它一定要割断由于长时间孵化、喂养而形成的母子亲情。

第一步，就是要疏远它们，要让亲密无间的母子关系出现隔阂和鸿沟。

潆不再让孩子们钻到自己的肩胛下来亲昵地耍闹了，也不再温柔地替它们梳理背上的毛了，除了必要的喂食外，不再和它们有任何接触。一天下午，下起了暴雨，霹雳落在银杏树梢上，发出震耳欲聋的巨响，把半球形窝巢震得摇晃起来。洳是雌性，又是三个孩子中最后一个出壳的，因此它的身子最弱，胆子也最小，它被雷声吓坏了，叽叽叽惊恐地叫着，从角落里跳起来扑向潆，企图钻到潆肩胛处那两片宽大、薄脆的骨骼底下去。以往每次天上打雷时，小家伙们总是把母亲肩胛上那两片微微拱起的骨骼当保护伞，已经习惯成自然了。潆想，这可不行，假如不是打雷，而是食肉恐龙在吼叫，洳也来往它肋下钻，那一家人岂不又成了捆扎成一串的甜点心了？它狠了狠心，用肩胛上那两只萎缩的前爪粗鲁地将洳推开了。洳不知是平时被娇宠惯了，还是真的被雷霆吓破了胆，被推开了又贴上来，在潆身边绕来绕去，削尖脑袋也要拼命朝潆的肋下钻，而刚刚还缩在角落里的泓和塬，情绪上也受到了感染，它们也按捺不住了，想往潆的怀里钻。潆怒不可遏地跳起来，用强有力的后爪在洳身上猛烈地蹬踢了一下，洳尖叫着在巢里打起滚来。泓和塬也委屈地呜咽起来。一瞬间，潆心软了，孩子们到底年纪还小，需要慰藉，需要保护，它觉得自己不应该这么残忍。于是，潆又张开肩胛处的两片宽大的骨骼，准备用母性温柔的怀抱来接纳惊慌失措的洳，可突然，汀一家的惨剧又出现在它的脑子里，潆明白，如果它现在恢复了慈母形象，不是在爱孩子们，而是在害孩子们，为了能让小家伙们在大祸临头时毫无顾忌地各自逃生，它此刻应当扮演恶魔的角色。它绝不能妥协，现在正是剪断联系母与子的那条无形的情感绳索的最好时机，妥协将使它前功尽弃，一切都要为了生存！想到这些，潆的心迅速变得像冷冻的冰一样坚硬。

它在洳的背上狠狠啄咬。它口腔里的牙齿虽已退化成一排软骨，但它的嘴已角质化成硬壳，啄咬起来还是很厉害的。只两下，洳的背上便毛片飘零，鲜血淋漓。洳嗷嗷地叫着跑开，可潆仍不罢休，继续穷追猛啄。它要让孩子们明白，天空炸响的霹雳就是穷凶极恶的食肉恐龙，眼下就是一场危机预演，它要假戏真做，让孩子们永远吸取教训。

潆仍在无情地啄咬着洳，洳缩回角落，委屈地哀鸣。

泓和塬见状都识相地退回各自的角落，不敢再试图钻进潆的怀抱里了。

突然，又一个惊雷落在银杏树梢，借着闪电的光亮，潆看见三个小家伙都背对着它，头闷在巢壁上，身体瑟瑟发抖。

它们害怕雷霆，但它们更畏惧严厉的惩罚。

但愿从此以后遇上灾祸时，小家伙们别再想着挤成一团来钻母亲的怀抱了，而是要学会各自夺路逃命。

很快，在潆的家里，昔日那种甜美、温馨的氛围消失得无影无踪，巢里再也没有孩子们对母亲亲昵的撒娇声，再也没有它们对母亲的信任与依恋，除了争食时愤怒的鸣叫声外，窝里无声无息，冷寂得像只冰窖。三个小家伙麻栗色的瞳仁上结了一层冷霜，不管看什么，都是冷冰冰的。眼睛是心灵的窗户，只有心像冻土层，眼里才会结冰霜。

它们是按照潆的心愿在重塑性格。

它们是按照潆的心愿在弥补自己所属的物种的缺陷。

按理说，潆该高兴，它的愿望正在逐渐成为现实。可不知为什么，它却高兴不起来，相反，它的心里很惆怅。过去，当它辛辛苦苦叼来可口的蠕虫或其他形形色色的软体小虫时，它刚爬到窝巢前，巢里便叽叽喳喳地欢腾起来，小家伙们那热烈企盼的眼光，会让它的心底像抹了蜜一样的甜；它们那无限依恋的叫唤，让它感到心头像醉了一样的暖。如今，这一切都荡然无存了。生活好像缺少了点儿什么，好像变质了、变味了。特别是看着小宝贝们那哀怨的眼光，看着昔日温情脉脉的家变得像冤家仇敌相聚的战场，它会禁不住觉得惋惜和伤感。

不不，它不能动摇，更不能半途而废。它的努力是有价值的，蓝想，任何事情要成功，总要付出一定的代价。比起能生存下去，温馨的家庭氛围算得了什么？有所得，必有所失。生活总有缺憾，不可能十全十美。为了孩子们能平安地活下去，它愿意牺牲一切。

第二十六章　寻找强者

崆到了谈婚论嫁的年龄。

犬齿甲龙在春秋两季发情。过了夏天就是秋天，金色的阳光，金色的植被，暖融融的艳阳天，正是犬齿甲龙交配的好季节。

一只名叫煜的雄性犬齿甲龙，影子似的跟随在崆身后已经好几天了。当崆趴在岩石上晒太阳时，煜就会绕到下风处，耸动鼻翼，贪婪地嗅着崆身上的气味；当崆到溪边饮水时，煜就会跳到水里，搅起阵阵泥浪，以吸引崆的注意。

崆不是傻瓜，它当然明白煜的心思。煜那色迷迷的眼神、馋涎欲滴的模样，都在准确无误地向它传递这样一条信息：煜急不可耐地想做它的新郎。

崉不置可否，它既不对煜表示欢迎，也不对它进行驱赶。作为有性繁殖的动物，到了谈婚论嫁的年龄，到了艳阳高照的金色秋天，崉确实需要一个雄性伴侣。但它之所以不急着表态，是因为煜属于那种食之无味、弃之可惜的鸡肋型雄性。煜身长约四米，这在雄性犬齿甲龙里头算不上魁梧，但也不是侏儒；它的反应不算敏捷，当然也不算迟钝；它那隆起的背甲，宽宽的嘴，鼓鼓的眼，谈不上俊美，当然也不算丑陋；一口牙齿不算锋利，当然也不算钝；它大概五岁，不算年轻，当然也不算老。一句话，煜谈不上优秀，也不算是劣品，如果高标准、严要求的话，崉是不会接受煜的；但如果放低标准、放宽要求的话，崉也是可以勉强接受煜的。

崉是第一次发情，就像所有第一次发情的雌性动物一样，崉对配偶抱有一种不切实际的幻想，它希望与自己交配的那个雄性，温柔而强壮、聪明而多情，是种群中的佼佼者，出类拔萃。与这样的雄性交配，不仅可满足雌性的虚荣心，更重要的是，雌性产下的后代也会因品种优良而获得更多的生存机会。

崉没有断然驱赶煜，是因为到目前为止，自己理想中的白马王子还没有出现。既然如此，那就容忍煜跟在自己身边好了，多一个追求者多一分热闹，崆的择偶原则是：普遍撒网，重点捉鱼。如果有机会遇到佼佼者，再一脚把煜蹬掉也不迟。

煜没日没夜地追随着崆，崆觅食，煜也去觅食，崆晒太阳，煜也去晒太阳，崆睡觉了，煜也去睡觉。煜总是出现在离崆十步左右的地方。对犬齿甲龙来说，十步是个微妙的距离，是两个成年个体必须保持的最小距离，再近一步的话，要么会被视为不怀好意的冒犯，要么会被视为两性间建立亲密关系的开始。有好几次，煜有意无意地往崆身边靠过去两步，崆就低吼一声，摆出一副不高兴的表情，煜立马就退到十步开外的地方去了。犬齿甲龙是种性格凶悍的食肉恐龙，粗野而蛮横，但煜似乎是个例外，表现得特别有耐心，特别绅士。

其实，煜是迫不得已才做绅士的。从本性上说，它恨不得做强盗，三下五除二，用暴力逼迫崆乖乖就范，但它却不敢如此。做强盗也要有做强盗的资本，在崆面前，煜恐怕下辈子也做不了强盗。犬齿甲龙在进化的过程中，雌雄同步，巾帼不让须眉，更准确地说，巾帼超过了须眉。也就是说，犬齿甲龙这个物种，雌性在个头、体力、胆魄等各方面都不比雄性差。崆身长近五米，煜身长只有四米，崆比煜长了近一米，而且崆的肌肉更发达，爪子更锐利，牙齿也更锋利，双方如若发生冲突，煜可以说是毫无胜算。无法做强盗，那就只好做绅士。煜虽万般无奈，但也唯有耐心等待，它希望自己超常的耐心能感动崆，使自己最终获得与崆交配的机会。

在犬齿甲龙的种群里，交配权牢牢地掌握在雌性手里。

崆一点儿也不着急，金色的秋天才刚刚开始，美妙的交配期才刚刚拉开帷幕，它相信自己一定能等到中意的雄性，一定能等到优秀的白马王子。

雄性犬齿甲龙很多，对崆有非分之想的雄性犬齿甲龙也不少，崆几乎每天都能碰到一两个，但它们身长都只有四米左右，很少有超过四米半的。有一次，崆到一片树蕨林觅食，它的运气不错，在一丛树蕨下逮到了一只肥嘟嘟的虾螟龙，吃饱喝足后，崆就迈着悠闲的步子从树蕨林出来，刚走到林子边缘，就远远地看见一只尾巴上有块绿斑的同类雄性正在缓慢爬行。崆的视线极佳，它目测了一下，这个绿尾巴雄性个头魁梧，身长差不多有五米。崆很兴奋，它以为遇到了理想中的白马王子，于是就加快脚步赶过去一看，不看不知道，看了吓一跳，绿尾巴犬齿甲龙的一只前爪断了，新鲜的伤口上还滴着浓浓的血。这样的残废雄性，在同类相食的犬齿甲龙里，只配做食物，哪里配做自己的白马王子啊。崆刚刚吃了一只虾螟龙，肚子饱饱的，要不然的话，肯定就把绿尾巴犬齿甲龙给捕杀了。

还有一次，崆在喀纳贝湖湖畔遇见了一只四只脚爪呈白色、就像穿着两双白袜子似的雄性犬齿甲龙，足足有五米长，崆像觅得宝贝似的兴奋，急急忙忙爬过去，摆出一副投怀送抱的姿势，白袜子犬齿甲龙瞪起一双惊喜的眼睛，也摆出一副急不可耐的迎接的姿态。就在这时，跟随在崆后面的煜心急火燎地赶了上来，气势汹汹地吼了两声，在白袜子犬齿甲龙面前摆出一副张牙舞爪的搏杀姿势。崆对煜的无理取闹不以为然，它觉得煜是虚张声势，虽然表面上看来气势汹汹，其实内心虚弱而恐惧。白袜子犬齿甲龙的身体足足比煜长一米，身大力不亏，双方如果真的为争夺交配权而打架的话，煜必输无疑。崆想，白袜子犬齿甲龙的脸上一定会浮现出鄙夷的表情，肯定会不慌不忙地迎上去，而煜一定会吓得屁滚尿流，逃之夭夭。然而，让崆目瞪口呆的事发生了，白袜子犬齿甲龙一见到煜，惊喜的眼神立刻就变得异常惊恐，就好像天要塌下来似的，身体还不停地瑟瑟发抖，还没等煜扑到它面前呢，它转身就逃。唉，看来白袜子犬齿甲龙是空有一副好皮囊，可真是金玉其外，败絮其中啊！要是与这样的窝囊废交配，所生的后代也必然是胆小如鼠的窝囊废，是很难在莽莽丛林中立足生存的。崆失望至极，真恨不得把白袜子犬齿甲龙的四只脚爪像脱袜子似的给咬下来。

还有一次，崆在阿莫错山觅食，望见了一只五米长、背甲呈古铜色的雄性犬齿甲龙正趴在一块岩石上晒太阳。这一次，崆观察得格外仔细，这只铜甲犬齿甲龙不仅身材魁梧壮实，眼神儿也沉稳老辣。当崆以交配期雌性妩媚的姿态走向铜甲犬齿甲龙时，跟随在崆后面的煜又故技重演，嗖地蹿到了崆的前面去，朝铜甲犬齿甲龙张牙舞爪地号叫。铜甲犬齿甲龙用冷冷的目光傲视煜，颇有一种居高临下的王者风范和压倒一切的威慑力量。崆在一旁看得很清楚，煜就像被大雨浇灭的火苗，气焰一下子就没了，只能扭转身，气急败坏地嚎了两声，灰溜溜地走了。

——走吧走吧，祝你在其他地方能交到桃花运。崆在心里默默地念叨。

既然自己已经找到了理想中的白马王子，那么其他纠缠在自己的石榴裙下的追求者当然就可以一脚踹开了。煜转身离开了，崆则喜滋滋地向铜甲犬齿甲龙靠拢。就在这时，从铜甲犬齿甲龙晒太阳的那块岩石背后，突然蹿出两只雌性犬齿甲龙来，它们都是身长近五米的大姐大，其中一只是两只耳朵两种颜色——一只耳朵白一只耳朵黑，或许可以称它为双色耳雌性，另一只鼻子塌得厉害，可起名叫塌鼻头雌性。它们俩凶狠地号叫着，从左右两侧向崆包抄过来。崆不用猜就知道是怎么回事，双色耳雌性和塌鼻头雌性肯定是一窝卵里孵化出来的同胞姊妹，都处在发情期，都看中了这只铜甲犬齿甲龙，当它们发现崆也要向铜甲犬齿甲龙投怀送抱时，就急忙冲出来兴师问罪了。优秀雄性属于稀缺资源，你争我抢在所难免。崆不等双色耳雌性和塌鼻头雌性赶到，就立刻扭头逃窜。它独自一个，是无法与这对姊妹花抗衡的。发情期的雄性都是狂命徒，发情期的雌性都是母夜叉，它若真的与双色耳雌性和塌鼻头交起手来，那绝对是一场你死我活的搏杀，而它取胜的希望则十分渺茫。铜甲犬齿甲龙虽然好，可也犯不着为了它把自己的命搭上。在这种情况下，还是三十六计，走为上。

——哼，天底下优秀的雄性多得很，我犯不着跟你们争抢，你们等着瞧，我很快就能找到比铜甲犬齿甲龙更优秀的雄性犬齿甲龙！

崆一面气呼呼地溃逃，一面在心里发誓。

遗憾的是，好运似乎并不特别眷顾崆，在接下去的二十多天里，它满世界地寻找，却再也没遇见过身长超过四米半的雄性。

崆不得不慨叹，天下这么多雄性，为什么优秀的雄性会这么难找？

第二十七章　回归的亲情

一只黄褐色的角鼻龙正顺着雄株银杏树干往上爬。角鼻龙生就一张大嘴，喜食像泓、塬和洳这样还未成年的小动物。较之雷龙和科摩盗龙这样的庞然大物，角鼻龙对潆这个物种来说，威胁相对较小，但它毕竟贪婪凶狠，与潆所属的种族是吃与被吃的关系，潆还是需要认真防范或躲避。

一般情况下，遇到角鼻龙的侵犯，像潆这样的种族会采取以多敌寡的策略：一家子站在枝杈上，居高临下，啄咬顺着树干往上爬的角鼻龙。角鼻龙爬起树来很笨拙，在笔直的树干上，只有四肢紧紧搂抱，才勉强不会滑落下去，因此，它无法腾出爪子来反击。此外，角鼻龙那张大嘴虽然厉害，但它的脖颈粗壮，扭动起来不太灵活，很难在树干上进行有效的噬咬。对潆的种族来说，角鼻龙那两只鼓凸出来的大眼睛，是最好的攻击目标。这样，角鼻龙的一张嘴敌不过几张嘴，在笔直的树干上遇到强有力的反击后，很快就会放弃偷食的念头，败退下去。

然而，潆明明看见角鼻龙爬上树来了，却没采取任何防御措施。

潆想，倘若它把泓、塬和泇唤到自己身边，一家子同仇敌忾地对付角鼻龙，母子间和同胞间那条会把彼此的灵魂捆扎在一起的无形绳索又要像幽灵般地回来了，它过去的所有努力就会付诸东流。试想一下，当一家子同心协力地对付天敌时，彼此之间的感情还能继续冷漠下去吗？

绝不能因为一只角鼻龙的出现，就让自己种族的缺陷在孩子们的身上重现原形。

角鼻龙一路都没有遇到任何阻碍，它顺利地爬过树干，爬上了横杈。它在横杈上，要比在笔直的树干上灵活多了，不仅追撵的速度明显加快，还能嗖嗖向前蹿跃；角鼻龙丑陋的脸上挂着一副得意的神情，鼓凸的眼睛紧盯着细皮嫩肉的泇，嘴角淌下一线口水，向在巢旁晒太阳的泇步步进逼。

洳朝后退缩着，惊恐不安地叫着，那叫声像一支支毒刺，扎着潆的心。

潆很清楚，孤单的洳绝不是角鼻龙的对手，洳在横杈上的爬行速度也不及角鼻龙，如果它不去干预的话，洳很快就会成为角鼻龙的腹中餐。可是，待在树冠另一头的泓和塬此刻正望着它，它若上去救洳，这两个小家伙必然也会学它的样前来助战，这样一来，眼下这场危机兴许能化解了，但以后呢？潆这个种群处在大自然食物链的末端，天敌无数，比角鼻龙更凶悍、更强大的敌手多得很，如果以后遇着黑臀科摩盗龙这样的庞然大物，孩子们也依葫芦画瓢，团结御敌，岂不白白把自己送入敌口！

潆虽然是远古动物，但对数字的简单概念还是有的：现在是要一个，还是将来赔三个？三减一等于二，三减三等于零。它强忍着心里的悲痛，蹲在原处没动弹。

宁可牺牲一个洳，也不能让可怕的种族缺陷在孩子们的身上死灰复燃。

角鼻龙频频向前跃进，很快就追上了惊慌失措的洳。只见角鼻龙弯曲后肢，身体前后耸动着。潆有经验，晓得这是它要进行扑跃的前兆。潆闭上眼，扭转脖子，它不忍心看心爱的小宝贝被咬死的惨状，没勇气直面血淋淋的悲剧。

它绝望地等待着洳最后那声撕心裂肺的惨叫。

可传入耳膜的，却是一声普通的惊叫。

它惊讶地睁眼望去，原来，银杏树横杈上情况发生突变，不知什么时候，洳已站在下一层树冠的一根嫩枝上了；看样子，它是在躲避角鼻龙噬咬时不小心滑落下去的。算洳命大，这一跌算把性命给捡回来了；笨拙的角鼻龙是绝不敢跳到还在晃晃悠悠的嫩树枝上去追逐洳的。

孩子，你只要紧紧地抱住嫩树枝，别乱动，别继续往下跌，你就算安全啦！

潆只顾为洳的侥幸脱险而高兴，忘了自己还处在角鼻龙的捕捉范围内。它的视线仍停留在死里逃生的洳身上，忘了注意角鼻龙的下一个动作。

就在潆丧失警觉时，角鼻龙已及时调整方位，迅速扑向离自己最近的潆。

等潆发觉自己已成为角鼻龙的第二个捕捉目标时，想逃已经来不及了，角鼻龙离它只有一步之遥了。最要命的是，它待的这根树枝孤零零地伸向天空，与别的树不相连，所以无法逃到毗邻的树上去。它想在树冠上转移位置，可退路已被角鼻龙封锁了。无奈，潆只好边叫边朝后退却，很快，就退到了那根树枝的顶端，再也无路可退了。它朝下张望，希望下面也有根嫩树枝，好让它也像洳那样跳落下去，但不幸的是，下面没嫩树枝可供它落脚，而这里离地面太高，如果就这样直接跳下去，非死即伤，还是会让角鼻龙白捡便宜。

怎么办？好为难。

还没等潆想出脱险之策，角鼻龙已蹿跃上来，一下子就把潆的一只前爪连同肩胛上那片薄脆的骨骼一起衔进了自己的大嘴里。

潆拼命挣扎，角鼻龙用四肢紧紧搂抱住树枝，像块顽石，岿然不动。

这是角鼻龙独特的猎食伎俩：以静制动，以耐心胜浮躁。别看它老僧入定似的垂着眼帘一动不动，当猎物挣扎得筋疲力尽时，它就会突然“醒”过来，毫不费力地咬断猎物的喉管。

潆明白，自己是极难从角鼻龙的大嘴里挣脱的。角鼻龙全身裹着一层布满小疙瘩的厚实的皮，根本不怕啄咬，它全身上下只有一个部位易受伤害，那就是眼睛。但此时角鼻龙死死咬住它的肩胛，使潆的后爪和喙怎么也够不到角鼻龙的眼睛。

洳待在下层的嫩树枝上，泓也逃到了树冠与别的树相连的枝杈间，塬的动作最快，竟然已钻进了雌株银杏树上汀的旧巢里。潆多少有点儿安慰，自己虽然很快就要死了，但三个小宝贝总算逃过了这场劫难。它喂养它们已达五个月，虽然它们离完全成熟还有两三个月，但已能勉勉强强地独立生活。最重要的是，它亲眼目睹了小家伙们在灾难临头时毫无顾忌地各自逃生，这证明在它们身上的种族缺陷已基本弥补，它们再也不会变成别的恐龙的甜点心了，它死也可以瞑目了。

三个小宝贝从不同的方位，目不转睛地盯着潆看。潆不指望它们赶过来救它，它已亲手毁了它们母子间的依恋和亲情，在它的引导下，它们的感情早已变得粗糙而冷漠，它们不会再把母亲的痛苦当作自己的痛苦了。可它们此时此刻盯着潆看，这让它非常心寒：

——你们竟然有兴趣欣赏母亲的垂死挣扎！是的，我不会让你们过来救我，但你们至少应该朝我哀鸣一声，或者垂下眼帘，扭转过头，以示哀悼，也不枉我辛辛苦苦孵化和养育了你们一场。

然而，泓、塬和洳谁也没朝它哀鸣，谁也没扭过头去。

罢！罢！罢！就当自己弥补种群缺陷的努力卓有成效，给小家伙们铸就了一副铁石心肠吧。潆这样自我安慰，可心里还是泛起了一片苦涩。

角鼻龙更加用力地咬紧了潆，潆感觉到自己的肩胛部位火烧火燎般的疼痛，于是忍不住发出了一声凄厉的惨叫。

洳仿佛听到了召唤，从下层的嫩树枝上急急忙忙地向潆所在的位置爬来，而树冠上的泓和对面雌株银杏树窝巢里的塬，也像突然醒悟了似的赶了过来。

——不不，你们应当无动于衷地看着我被角鼻龙吞食掉！潆焦急地叫着。

孩子们不理会它的叫声，从三个不同的方向围拢来，用稚嫩的爪和喙，向角鼻龙发起猛烈的攻击。角鼻龙的爪子虽然厉害，但在树枝上却无法施展威力；它的一张大嘴虽然可怕，但衔着潆，也无法对洳它们进行噬咬，它只好拖着潆，慢慢朝树下退却。聪明的洳爬到角鼻龙的背上，对准它那鼓凸的眼睛，狠狠地啄了下去，角鼻龙疼痛难忍，恼羞成怒，张嘴要咬洳。啊哈，潆趁机从角鼻龙的大嘴里脱出身来！

——你还想咬我心爱的孩子，让你尝尝瞎眼的滋味！

潆用尽生平最大的力气，狠狠地朝角鼻龙的一只眼睛啄去。噗！角鼻龙的那只眼睛变成了一个小黑洞，随即便冒出墨黑的汁和殷红的血。角鼻龙失去了沉稳和耐心，它爪牙并用，急于反扑，结果在光溜溜的树枝上失去了平衡，咕咚一声摔下树去。树枝离地面很高，角鼻龙又恰巧掉在了一块石头上，结果摔得血肉模糊，一命呜呼。

银杏树上，三个小家伙叽叽喳喳地欢叫起来，忘乎所以地向潆靠拢来，想依偎在母亲身边，共同庆贺这来之不易的胜利。当它们爬到离潆还有半步远的地方时，像是突然想起了什么，不约而同地停了下来。它们不再欢叫，而是怔怔地你望望我、我望望你。

树杈上一片寂静。

潆知道孩子们为什么要停下来，它们一定是想起它这段时间对它们的冷漠与疏远，它们害怕亲昵的举动会遭到它严厉的惩罚，所以才会犹豫不前的。

一瞬间，潆理智的堤坝被情感的洪流冲垮了。它爱它们，它需要它们，它离不开它们！它再也控制不住自己，于是它撑开肩胛处那两片薄脆的骨骼，摇晃着，召唤着，嘴里发出一串清脆悦耳的叫声：

——来吧，孩子！来吧，宝贝！来吧，亲密无间！来吧，温馨甜美！

让冷漠见鬼去吧！

泓、塬和洳欣喜若狂，急忙扑到潆的身上，一家四口交颈厮磨，相依相偎。母子间、同胞间的隔阂即刻如冰消雪融，心和心又紧紧地连在了一起。

潆温柔地替孩子们梳理背上凌乱的毛，挨个儿摩挲它们的脑袋，尤其对洳，更是百般疼爱。潆觉得自己欠了洳很多很多，它曾粗暴地啄咬过洳，还差点儿把洳奉送给角鼻龙，它要弥补自己的过失。

银杏树上一片浓情蜜意。潆耗尽心血抑制了一个月的种族缺陷，又变本加厉地重新出现了。

唉，这缺陷与生俱来，深入进骨髓里，镌刻在基因中，渗透到血脉里，看来是无法更改，也无法消除了。

第二十八章　吞食夫君

天气渐渐转凉，金黄的树叶渐渐枯萎，犬齿甲龙的发情期也临近尾声了。

崆仍待字闺中。它渴望找到理想的配偶，虽然它的周围有很多雄性，但让它中意的却一个也找不到。绝大多数动物都有发情期，所谓发情期，就是在一个特定的时段——通常是在春天或秋天，动物们进行择偶交配活动，过了这个时段，它们内心的激情就会平息，就不再有择偶交配的冲动。只有一亿多年以后出现的人类是个例外，人类属于常年发情的高级动物。崆知道，自己如果再继续挑三拣四的话，时光无情流逝，眼瞅着自己就要错过这次发情期了。在人类社会，不孝有三，无后为大；在动物界，生命的最终意义就是生存和繁衍。每个个体都遵循这样一个原则：生命短促，命运无常，祸福难料，所以要抓紧一切机会繁衍后代，壮大自己的种群，完成个体的终极目标。白白错过一次发情期，对崆这样的爬行动物来说，无疑是一种罪过。

崆有两种选择：要么恪守自己的理想，宁缺毋滥，找不到好的宁肯不找，抱独身主义，做单身贵族，优哉游哉，自得其乐，自我陶醉，也未尝不可；要么降低标准，降低要求，面对现实，向命运妥协，胡乱找个雄性凑合一下，以完成雌性的使命。崆很想坚守第一种选择，可是，一种想要做母亲的强烈本能，迫使它怀疑自己这样做是一个错误。一亿多年前的辽西地区，是一个血腥的蛮荒世界，生命的链条随时可能断裂，万一发生不幸，它还没来得及做一次妈妈就死了，恐怕死也不会瞑目的。于是，崆想要第二种选择，这很容易，煜已经追随自己很长时间了，只要它对煜和颜悦色地抛个媚眼，煜立刻就会乐不可支地跑过来做自己的配偶，可是，自己身长近五米，却找个身长只有四米的配偶，这似乎也太委屈自己了，实在有点儿不甘心啊。

到底该做出怎样的选择呢？崆有些左右为难。

转眼又过去了好几天，随着枯黄的树叶渐渐飘零，犬齿甲龙的发情期已逼近了尾声。

眼看发情期行将结束，煜的脾气变得越来越暴躁。它经常无端地仰天咆哮，还发疯般地将一棵古棕榈拦腰咬断，不小心把自己的一颗门齿也咬裂了，满嘴血污。有次它逮到了一只鹦鹉嘴龙，并没有马上吃掉，而是残忍地将鹦鹉嘴龙的两条后腿咬断，让鹦鹉嘴龙不断发出惨烈的哀嚎声，而且还放任它仓皇奔逃，冷酷地看着它的鲜血在绿草地上画出了一条长长的红线……煜的进食量急剧减少，面色憔悴，身体看起来越发消瘦了，它总是用一种绝望而怨恨的眼神怔怔地望着崆。

也难怪煜会变得如此乖戾。它耗费所有的时间和精力追随崆，一门心思地想与崆交配，结果却竹篮子打水一场空，眼瞅着这次发情期就要结束，它当然会感到无比委屈和愤慨。

本来，崆对煜尚存有一丝好感，不管怎么说，在它找到理想的白马王子之前，在它的感情还挂在空档的时候，有一个不算太差的雄性黏黏糊糊地追随在自己的身后，让自己减少了寂寞，增加了自信，这也不失为一件好事。可如今，煜变得如此癫狂，不仅作践自己，将自己的门齿咬裂了，还时时用狠毒的眼光盯住它看，看得它心里发毛，那副狰狞模样，好像恨不得将它撕碎了吃掉。啧啧，达不到交配目的的雄性怎么会变得如此不可理喻啊！崆还发现，煜的形象也变得越来越糟糕，不仅因啃咬古棕榈，搞得门齿碎裂，满脸血污，身体也消瘦，面容憔悴，显得很猥琐。这样一来，崆对煜仅有的一丝好感荡然无存，几次对着它号叫，想把它从自己身边撵走。无奈，煜就像一只讨厌的苍蝇，明明已经被轰走了，可过了一会儿，又幽灵般地出现在崆的身旁。

如果没有遇见峤——那个自以为了不起的半老徐娘，那么再过三五天，随着秋天结束，冬天来临，随着犬齿甲龙的发情期落下帷幕，煜的欲望和冲动在体内生物钟的指引下会渐渐平息，绝望和怨恨的情绪也会因体内荷尔蒙的降低而日趋平复，对崆也不会再有什么兴趣了。在某个清晨或某个傍晚，煜会连个招呼也不打，不辞而别，离开崆的。

机缘巧合，就在这个节骨眼，它们恰恰就遇上了讨厌的峤。

那是一个有薄雾笼罩的黄昏，崆这天运气欠佳，从清晨开始，一刻不停地找食，可找了整整一个上午，什么也没找到，饿得肚皮贴到了脊梁骨上。下午，崆来到喀纳贝湖湖畔银杏树林里，指望能在天黑前弄到点儿充饥的东西。煜照例腻腻歪歪地跟随在它身后。四周一片空寂，只有秋风吹动落叶的沙沙声。高高的银杏树上，倒是有一种背部和肩胛覆盖着一层五彩羽毛的奇特的小动物在树冠枝丫间爬行，跳跃。崆认识这种长着五彩羽毛的小动物。曾经有一次，崆路经这片银杏树林时，就有一只这样的小动物不慎从树上跌下来，崆眼疾手快，迅速扑过去，将那只倒霉的小动物抓住。在把它吞进肚之前，崆好奇地打量着这只外貌奇特的小动物：它的嘴巴里几乎没牙齿，根本无法对天敌进行噬咬和反抗；两条前肢变成了两块S状的宽大的骨骼，显得笨拙而累赘；那身羽毛更是致命的缺陷，在丛林中无疑是最显眼的目标，无论逃到哪里，都逃不出追捕者的视线。可以说，这种小东西就是造物主给食肉恐龙预备的可口的小点心。

崆将那只倒霉的小动物吞进肚去。啧啧，它肉质细腻，血液温热，味道鲜美，口感好极了。可惜，这种可口的小点心生活在高高的银杏树上，可望而不可即。崆仰头凝望，希望此时此刻再有一只这样的小动物从树上掉下来，要知道，天上掉馅饼，是再美不过了啊。可左等右等，等到日头偏西，崆的脖子望酸了，眼睛望红了，却仍未有可口的小点心从树上掉下来。崆饥饿难耐，它想爬到树上去捉这些长着五彩羽毛的小动物，但它那在地面上显得孔武有力的躯体，爬起树来却很不方便，爬了几次，都是刚爬到树腰就无可奈何地滑落下来。地球的引力太大了，身体重的动物难以攀高。有那么一会儿，崆好不容易爬到了树冠，可那些长着五彩羽毛的小动物已经逃到树梢去了。崆求食心切，也跟着往树梢上攀爬，上层树冠的树枝细颤颤、软悠悠的，似乎无力承载它的重量，它才爬出两步，身下就传来了一阵咔嚓、咔嚓的树枝即将被折断的可怕声响，树高有二三十米，如果摔下去，不摔个五脏俱裂，也起码是骨折筋断。当然不能为了一道精美的小点心而赔了自己的性命，崆无奈地叹息一声，放弃了这场狩猎。

下到地面后，崆继续在银杏树林里游荡觅食。日头西斜，薄雾飘荡，明亮的阳光渐渐变成橘黄色。又一个寂寞的黄昏来临了。就在这时，从银杏树林中那条被大型恐龙踩踏出来的宽宽的甬道上，传来了一阵沙沙的脚步声，崆抬头望去，哦，原来是一只名叫峤的雌性犬齿甲龙，它正昂首阔步地赶路。崆认识峤，峤是与自己同一时期孵化出来的犬齿甲龙，它们曾多次在一起共同捕杀大型食草恐龙。崆此时所在的位置，就在大甬道边上。峤走了过来，彼此的距离在缩小。崆发现，峤脸上挂着一副得意扬扬的表情，它的步子轻快而有弹性，身体微微摇摆，似乎踏着音乐的节奏，它不像在走路，倒像是在跳舞。开始，崆以为峤白捡了一只受伤的小盗龙什么的，饱了口福，吃得满嘴流油，所以高兴得手舞足蹈。再仔细看去，自己的判断似乎有误。峤的嘴巴上并无血迹和碎肉，上腹部也并不鼓凸，不像是刚刚饱餐了一顿的样子。没有白捡美食，那高兴什么呀？崆不屑地想。崆探究的目光顺着峤的上腹部往下滑，当目光滑到峤的下腹部时，崆心头突然一紧，它看见，峤的下腹部鼓鼓囊囊，整个尾部鲜亮而有光泽；再看峤赶路的方向，是背着夕阳往东走的。毫无疑问，它是在急急忙忙地往黄金滩方向赶。刹那间，崆晓得峤为何如此得意了。这家伙肚子里喜结珠胎，要做妈妈了，它要到黄金滩这个犬齿甲龙理想的育雏基地去刨坑产卵了，所以兴奋得手舞足蹈。突然间，崆有种自惭形秽的感觉，峤身长只有四米半，比它短了近半米，峤的背甲也没它的背甲厚韧，五官也没它漂亮。在生活中，峤的地位历来比它低半截，可现在，峤的肚子里喜结珠胎，它却还没有动静。犬齿甲龙的发情期即将落下帷幕，没能怀上宝宝的雌性，就好像人类社会中的老处女，在种群中有点儿抬不起头来。可现在，自己下腹部空瘪瘪的，实在不好意思见马上要做妈妈的峤。峤快速逼近，至多再有十秒钟，峤就会从崆躲藏的那棵银杏树旁一跃而过，消失在莽莽丛林里。崆的身体藏在大树背后，透过枝蔓紧盯着越来越近的峤。崆看得清清楚楚，峤鼻翼间洋溢着一种初次做母亲的幸福感，它目空一切，骄傲得就像一位皇后。说不清是一种什么心理在作祟，崆突然就有一种不服气的感觉：

——有什么了不起的，不就是快要产卵了嘛，值得这么骄傲吗？从发情期一开始，我的尾巴后面就跟着一串儿想拜倒在我石榴裙下的雄性，我都没把它们放在眼里，而是断然拒绝了它们的求爱；时至今日，虽然发情期即将落下帷幕了，可我身后仍跟着痴心不改的煜，只要我愿意，我随时都可以让自己的肚子喜结珠胎的。我永远是高贵而美丽的雌性，一点儿也不比你峤差。

这么一想，崈觉得自己根本没必要躲藏起来，也根本不存在抬不起头来的问题。它干吗要自惭形秽呢？真是莫名其妙！想到这里，崈一甩尾巴，嗖地从银杏树背后冲了出来，站在大甬道旁，面朝着匆匆而来的峤。崈想用自己的行动来告诉峤：

——我才用不着躲你呢，我才不会羞于见你呢，我比你幸福得多，你信不信？你赶你的路，我觅我的食，咱们两不相干。

崈突然从银杏树背后冲出来，把峤吓了一大跳，峤立刻收住脚步，张牙舞爪地摆出搏杀姿势。当看清是熟识的同类，峤这才松了口气，收敛起搏杀的姿势，迈动四肢，打算继续赶路。崈与峤近在咫尺，四目相对，崈发现，当峤的目光落到它的下腹部时，表情立马变得很怪异，这表情里有怜悯、惋惜、同情，似乎还有幸运儿对倒霉蛋的一种奚落、讥笑和嘲弄。崈的心隐隐作痛。在经过崈的身边时，不知是有意还是无意，峤抬起一条前肢，欠了欠身，向崈露出鼓凸如球的下腹部，似乎是在对崈说：

——瞧瞧吧，我肚子里有了许多小生命，我忙死了，我要赶紧到黄金滩给肚子里的小宝宝准备最温馨的孵卵坑了，拜拜！

带着炫耀的满足，带着爱情的甜蜜，带着母性的沉醉，峤加快脚步奔向黄金滩。

崆恨得牙齿酸酸的，爪子酸酸的，心里也酸酸的。

——你算个什么东西，竟敢在我面前炫耀？炫耀就是不恭，炫耀就是冒犯，炫耀就是挑衅，炫耀就是侮辱！

崆是犬齿甲龙中最优秀的雌性，算得上是个大姐大，从来都是它向其他雌性炫耀自己的种种优势：它向它们炫耀自己长达五米的壮硕的身躯，炫耀自己白得耀眼的牙齿和锋利的爪子，炫耀自己高超的狩猎技艺，炫耀自己吸引异性的无穷魅力……现在，竟然是峤在向它炫耀，它快被气疯了！

有什么了不起的？不就是做妈妈吗？这有何难？只要它愿意，不费吹灰之力就能做到。犬齿甲龙的发情期即将落下帷幕，但闭幕前还可以有压轴好戏，还可以有华彩乐章。它要让峤看看，峤追求到的幸福，它眨眨眼睛就能得到。嫉妒之火烧毁了崆的理智，它扭头望去，煜此时正趴在一棵十几步外的银杏树下，它向煜做了个妩媚的表情：

——来吧，算你幸运，我同意你来做我的配偶了！

煜怔怔地望着崆，不相信这是真的。

也难怪煜会发怔。从发情期一开始，它就追随在崆身后，苦苦追求了近两个月，哄骗、诱惑、恫吓、威逼，可以说什么手段都使上了，无奈崆软硬不吃，它始终未能达到目的。眼瞅着发情期就要落下帷幕，它已差不多彻底绝望了，突然间，崆却向它发出交配邀请，这当然会让它颇感意外，它怀疑自己是在做梦，或者是自己产生了幻觉。

崆做了个转身欲走的姿势，用幽怨的表情，朝煜发出轻柔的叫声，那是不可抗拒的催促：

——你发什么痴呀，你耳聋失聪了吗，你是木头做的吗？白给你的福气，你还不要啊？我警告你，过了这个村，就没有这个店了。我数到三，你再不过来，我就要走了。我不是跟你开玩笑的，我真的就要走了，一、二……

煜如梦初醒，欢快地吼了一声，三步并作两步扑了过来。

银杏树林里，它们俩享受了最后一场爱情的盛宴。

崆清晰地感觉到，新一代生命在它的身体里静悄悄地孕育。崆想，交配完成后，它要顺着林间那条被大型恐龙踩踏出来的甬道去追赶峤，它要让峤看看，它也要做母亲了。它要抢先一步到达黄金滩，抢占最好的位置挖孵卵坑，它有实力、也有能力做到这一点。它要让包括峤在内的所有的雌性犬齿甲龙都羡慕它、妒忌它，它不需要怜悯和同情，它需要的是羡慕和妒忌，它要让它们都羡慕它的幸福，妒忌它的幸运。

残阳如血时，煜和崆繁衍后代的工作终于告一段落。

激情过后是平静，缱绻过后是无聊，缠绵过后是空虚。

煜软绵绵地趴在地上，微微喘息着，享受激情过后的平静。苦苦等待了这么长时间，它终于如愿以偿，此刻它有一种满足感和成就感。按照惯例，小憩一阵后，它就会离开崆，去过自己的日子。

崆也趴在银杏树下喘息。一阵晚风吹来，它冲动的头脑渐渐冷静下来。是的，它的肚子里开始孕育新生命了，可是，它体会不到甜蜜，相反，却品尝到了苦涩。它扭头看看煜，这会儿，煜由于激情释放，显得更瘦弱、更丑陋了。自己真是鬼迷心窍了，怎么会和煜这样普通的雄性交配呢？与普通的雄性交配，毫无疑问，也将孕育普通的后代。它一直就抱有这样一个理想：与身长五米的、出类拔萃的雄性结为伴侣，孕育最优秀的下一代。现在，理想破灭了。它真切地体会到了理想破灭后的无尽痛苦。它现在不仅仅是讨厌煜了，而且还觉得煜可恶、可憎、可恨。它觉得是煜利用了它的虚荣，利用了它情感的脆弱。现在，木已成舟，生米煮成了熟饭，后悔也来不及了。

怨恨的情绪在崆的心里积累。

煜惬意地伸了个懒腰，动弹四肢，扭头东张西望。崆晓得，煜准备起身离去了。雄性犬齿甲龙都是这个德性，没有得到前拼命追求，得到后就不再珍惜，一旦目的达到，便头也不回地离开了。崄将独自承担产卵育雏的全部艰辛：独自前往黄金滩，独自挖掘孵卵坑，独自在坑内产卵，独自用浮土将宝贝卵掩盖起来。一句话，崄将独自承担养育后代的所有风险。犬齿甲龙经过数代演化，确实已经跃居大自然食物链的顶端，但独自前往黄金滩产卵，仍有很大的困难，其中最大的困难莫过于食物难寻。从这片银杏树林到黄金滩，最快也要走两天，一路上穷山恶水，很难找到果腹的食物。曾经有过这样的例子：一只雌性犬齿甲龙独自前往黄金滩产卵，一路上都找不到食物，到了黄金滩，挖好坑，产好卵，就倒在孵卵坑边上了，成为一具尸体。崄的担忧是有根据的啊！想到食物，崄突然感觉到饥渴难忍。它整整一个白天都在找寻食物，却什么也没找到，早就饿得肚皮贴到脊梁骨了。现在平静下来，饥饿的感觉卷土重来，它更是饿得心里发慌、眼睛发绿。就在这时，煜又张开嘴巴打了个哈欠，迈动四肢准备开溜了。煜前两天因发疯般地啃咬古棕榈而咬碎了一颗门齿，到现在伤口也并未痊愈，而且还在流血，现在，它嘴里的血腥味随着这个哈欠喷涌而出。崄闻到了这股血腥味，对于处在饥饿状态下的食肉动物来说，浓烈的血腥味是无法抵御的诱惑，崄眼睛一亮，梦里寻食千百度，蓦然回首，原来食物就在自己的身边啊！

崆嘴角滴着口涎，不由自主地向煜靠过去。

煜没有一点儿防范，它也想不到要防范。在人类社会，有“一夜夫妻百日恩”的说法，动物界虽然没有那么缠绵的感情，但起码“一夜夫妻几日恩”还是有的，犬齿甲龙当然也不例外。犬齿甲龙虽说是种残忍的食肉恐龙，甚至有同类相食的陋习，但到了发情期，受异性相吸这条规律支配，雌雄间友善相待，从没发生过交配的双方搏杀相食的事。有性繁殖的动物，要繁衍后代，必须发生雌雄交配行为，这就需要雌雄之间的协调、配合，要互相产生好感和最起码的信赖，要达成一种互不伤害的默契，交配行为才能顺利完成。在一个物种中，倘若交配的双方都不能互相信任，彼此都怀有戒心，都要互相猜忌、互相防范、互相算计，倘若交配时都会受到伤害，甚至会遭到杀戮，互相吞噬，危及生命，那么，这个物种离灭绝肯定已经不远了。

因为从未发生过配偶间视对方为食物这样匪夷所思的事情，因为历来都是一夜夫妻几日恩，绝不会交配一完成就恩断义绝，所以当崆向煜逼近时，煜并未提高警惕，它可能以为，崆是舍不得它离去，依依惜别送郎君，千言万语细叮咛。

崆爬到煜的身旁，将嘴巴对准煜的脖颈。说实话，崆心里还是有几分犹豫的。毕竟，眼前这个雄性，是它肚子里孩子们的父亲；毕竟，眼前这个雄性，刚刚与自己缠缠绵绵亲昵了一番；毕竟，杀害刚刚交配完的配偶是很残忍的事情……可是，自己饥渴难忍，饿着肚子是很难爬到遥远的黄金滩去产卵的。它想，假如自己倒毙在去往黄金滩的路上，不仅它的生命结束了，对煜来说，也是一种巨大的损失，煜的后代也会随着它的死亡而死亡。从这个意义上说，煜有责任牺牲自己来保全它的性命！

崆张开大嘴，尖利如刃的牙齿触碰着煜的后颈。

煜毫无防备。

崆一口咬住煜的后颈，用力拧咬。夜幕下的银杏树林里，展开了一场罪恶的杀戮。

煜身长只有四米，本来就不是崆的对手，再加上是在不设防的状态下遭到来自背后的偷袭，它挣扎了几下，还没弄明白是怎么回事，就去见阎王了。

刚刚做了新郎，立马就做了冤鬼。

崆开始撕食煜的尸体。不管怎么说，吃饱肚子是最重要的。崆并没有感到特别内疚，因为在犬齿甲龙里，同类相食并不稀罕。再说了，它放弃自己的理想，委身于煜，并怀了煜的孩子，煜用自己的血肉犒赏它，也是应该的啊！

对动物来说，世间万事，生存和繁殖为大。

崆吃饱喝足，枕着煜的尸体酣然入睡。它一点儿都不害怕煜会变成索命鬼来找它复仇。动物是没有“鬼”这个概念的。它也不急着去黄金滩，它刚刚受孕，肚子里的卵还有个发育、成熟的过程。煜虽然身长不足四米，但作为食物，却够吃好几天了。食物来之不易，当然不能浪费。它要守候在食物旁，直到把全部的可食之物吃干净为止。

第二十九章　黑暗中的温暖

半夜，潆听到远处传来了一阵比雷声更猛烈的巨响，遥远的天边闪现出一片红光，大地也跟着剧烈地摇晃、颤抖，这种情况持续了约半个多小时，之后一切又归于平静。

潆并没把半夜发生的异常天象太当回事，一亿多年前的地球还很年轻，就像个任性的孩子，喜欢发点儿小脾气，火山爆发，并引发地震早已成家常便饭，没必要大惊小怪。

潆只是在银杏树摇晃得最厉害时，担心这个用胶泥和细枝搭建起来的半球形的巢会被摇碎、震垮，它用脑袋在巢壁上碰了碰，发现这个半球形的窝巢搭建得十分结实，银杏树摇得像个醉汉，窝巢却完好无损，它也就放心了，继续呼呼大睡。

潆当然不可能知道，这一次火山爆发与以往的火山爆发截然不同。打个不恰当的比喻，以往的火山爆发不过是地球打了个小喷嚏而已，而这一次却是地球的一次脱胎换骨的革命性演变。

地球可以说是一颗水球，因为地球表面十分之七以上的面积都被海水覆盖；地球也可以说是一颗火球，地心深处是一团炽热的岩浆。陆地就是漂浮在液状岩浆上的几个板块。随着岩浆流动，陆地也会发生漂移。这就是大陆漂移学说。这是一个肉眼看不见的缓慢过程，以万年为单位来计算。在距今约三亿多年前的石炭纪，欧洲和亚洲分属于两个大陆板块，分别漂浮在地球两侧，在地心岩浆运动的作用下，两个板块就像两艘船迎面相驶，经过约两亿多年的漂移，到了侏罗纪，欧亚板块漂到了一起，引发了史无前例的大碰撞，欧洲大陆的边缘和亚洲大陆的边缘在巨大的挤压与碰撞中迅速隆起，这就是伟大的造山运动。后来，喜马拉雅山崛起，成了世界屋脊。这个持续了约一百万年的欧亚板块碰撞过程，也是火山最活跃的时期，在强烈的挤压下，地表被撕裂开一个个口子，通红的岩浆喷涌而出，大量火山灰漂浮在天空，遮挡了阳光，辽西大地气温骤降，气候由炎热湿润渐渐变得寒冷干燥。

潆那天半夜听到的如雷声响和看到的遥远天际闪现的红光，就是由在无数次火山爆发中规模最大的那次引起的。巨量火山灰冲上三千米高空，形成巨大的火山灰云，遮盖了几乎半个地球。

对地球上的生物来说，这是一场毁灭性的大灾难，这段时间被一亿多年以后专门研究地球演变史的人类地质学家命名为“侏罗纪大黑暗”。

潆当时并没感受到大灾难即将临头的恐惧，它以为这只是一场普通的火山喷发，睡一觉，第二天早上醒来，一切都会过去的。

潆睡醒了，睁开眼睛，惊讶地发现，天空一片漆黑，天没有亮！潆是个勤劳的妈妈，每天都会在灿烂的朝霞映红大地时准时醒来，然后，踩着霞光和露水，到枝杈间找寻食物，为三个孩子准备早餐。出于安全的考虑，潆夜晚都睡在最靠近窝巢门洞的地方。以往，潆一觉醒来，就会看到外面灿烂的阳光，但此刻，它睁开眼，发现外面依旧是黑夜。它以为是自己的眼睛出了毛病，但扭头看看，睡在窝巢里的三个小家伙的身影依稀可见，树冠上飘动的树叶也依稀可见，眼睛并没有任何异常。一定是自己醒得太早，太阳还没有从地平线后面升起来呢。那就再睡个回笼觉吧。潆又合上了眼睛。也不知睡了多长时间，潆被三个小家伙吵醒了。

叽叽，泓扯着嗓子叫唤，潆知道，泓是在说它肚子饿了，埋怨妈妈为什么还不给它喂食？

喳喳，塬也在潆的耳畔发出响亮的乞食声。

咕咕，洳也吵闹着要吃东西。

——你们吵什么吵呀，你们睁开眼睛看看，天这么黑，到哪里去找食物呀？乖乖，好好儿睡觉，一觉睡到大天亮，到时候妈妈会给你们找来最爽口的斑点蠕虫和绿头蠕虫吃！

三个小家伙安静了下来，可没过一会儿，又开始叽叽喳喳地吵嚷起来：

——我们实在太饿了，饿着肚子怎么睡得着呀？

毗邻的银杏树上，也传来小恐龙乞食的吵闹声。

潆这才意识到这天黑得不正常。童言无忌，孩子们饿了就是饿了，才不管这天是黑的，还是亮的。这么看来，从时间概念说，现在已经是大白天了，正常情况下，现在太阳应该升得老高老高了啊！可为什么天还是黑得像一团化不开的墨呢？

过去也曾有过大白天看不见太阳的情景，那是暴风雨即将来临的时候。厚厚的乌云遮住了太阳，天也会暗下来，大白天就会变得像夜晚一样，但乌云再厚，从云层中总会透出一些光亮，总还可以看见山的背影、树的剪影。即使是下再猛烈的暴风雨，天空也不会像现在这样漆黑一团，什么也看不见。再说了，如果是厚厚的乌云遮住了太阳，那天空中也总会伴随着电闪雷鸣的，而现在的天空却一片寂静。

此时此刻的黑暗，黑得太蹊跷，黑得太离奇，黑得太反常，黑得太恐怖！

小家伙们鸣叫乞食的嗓子都快叫哑了，蓀自己也饿得肚子咕咕叫。天还是黑的无穷无尽，黑的漫漫无际。为了活命，蓀只好摸黑觅食了。好在三个小家伙都已快半岁了，可以跟随在它身后跟它一起找食了。蓀胆战心惊地跨出半球形窝巢，外面的世界黑得伸手不见五指，它完全是凭着记忆，摸索着爬过横枝，登上树冠。泓、塬和洳亦步亦趋地跟随在蓀后面。天太黑了，在覆盖着一层露水的树枝上摸黑爬行，稍不留神就会摔下树去。四周黑得像只大墨缸，根本分不清东南西北，稍不注意就会迷失方向。蓀走两步，便发出一两声鸣叫，告诉身后的小家伙自己在哪里，如果遇到拐弯或攀上、溜下，蓀也会及时地发出叫声，提醒小家伙们注意安全。小家伙们也用清脆的叫声回应着蓀。

——叽叽，妈妈你在哪里呀，我什么也看不见，我害怕！

泓急切地叫唤。

——叽叽，别害怕，妈妈就在你左边，你往左拐两步，快到妈妈身边来。

潆大声鸣叫，用叫声引导泓到自己身边来。

——叽叽，我一只脚踩空了，我快要掉下去了，妈妈快来救我啊！

塬又发出了呼救声。

——叽叽，别乱动，妈妈来了！

潆急忙循声赶过去，叼住塬的颈皮，把倒悬在枝干上的塬拉了上来。

——喳喳，我的脸被树枝刮破了，好痛啊，我头晕，我受不了了！

洳在黑暗中高叫。

——喳喳，没关系，只是划破了点儿皮，一会儿就不痛了。

潆用嘴轻轻触碰洳的脸，以示抚慰。

整个种群都在饥饿的催逼下摸黑出来觅食，天空一团漆黑，它们彼此看不见，只能靠叫声来互相联络，银杏树林里，叽叽喳喳，一片喧闹。

一亿多年以后，人类科学家发现，凡是树营性鸟类，和其他种类的动物比起来，声音更清脆嘹亮，更具有表达能力，它们可以称得上是大自然的歌唱家和语言大师。究其原因，就是它们在由爬行类向鸟类进化的过渡阶段，正值地质突变时期，恰巧遭遇欧亚板块碰撞所引发的“侏罗纪大黑暗”，为适应长达一百天的没有太阳的黑暗生活，它们用叫声来互相沟通联络，用叫声述说事情，用叫声来表达感情，从而培养出了丰富发达的语言系统。

终于，潆安全到达了结有果实的树冠。潆这个种族的运气真好，由欧亚板块碰撞所引发的“侏罗纪大黑暗”时期，刚好是银杏树结果的时期,银杏树的果实也叫白果,富含脂肪、蛋白质和维生素，甚至一亿多年以后也仍是人类餐桌上的美味佳肴。潆这个种族本来就是杂食性动物，有荤吃荤，无荤吃素,它们就是靠这些压满枝头的白果,度过了艰难的一百天，在一个让许多生物灭绝的地质突变时期，成功地活了下来。

潆用鼻子嗅闻，在茂密的叶子间寻找散发着一股清香的白果，然后咬开薄薄的壳，吞食可口的果仁。泓、塬和洳很快也学会了在黑暗中采撷白果的本领。

好几天过去了，天空仍一团漆黑。太阳到哪里去了呢？太阳生病了吗？太阳陨落了吗？太阳被天狗吃掉了吗？太阳被怪兽吞噬了吗？

没有了太阳，除了在黑暗中觅食困难外，最大的问题就是寒冷。太阳带来了光明，太阳也带来了温暖。没有了太阳，温暖的大地渐渐冷却，气温急剧下降。黑暗总是与寒冷联系在一起的。过去，潆十分讨厌长在自己肩胛上和背部的那些五颜六色的羽毛，没想到，在失去太阳的黑暗时期，这些覆盖在身体上的羽毛，竟成了抵御寒冷最好的保暖工具。

这是一个亲情浓郁的物种：卵产下来后，就是靠母体温暖的胸脯孵化成小恐龙的；小恐龙出生后，又是靠妈妈口对口的渡食而逐渐长大；到了夜晚，小恐龙总是依偎在妈妈怀里入睡。所以，溸这个物种早已习惯了亲情，天气寒冷，它们就互相依偎，抱成一团，靠彼此的体温取暖，而这又加深了它们彼此之间的亲情。虽然太阳莫名其妙地失踪了，气温骤降，许许多多爬行动物都被冻死了，但溸这个物种却凭借着身上的羽毛和浓浓的亲情，奇迹般地存活了下来。

太阳给大地带来了光明和热量，万物生长靠太阳，而亲情、友情、爱情以及一颗颗有爱的心，也像太阳一样，也带来了热量和光芒。在非常时期，生命要渡过难关，靠的就是这颗感情的太阳——爱。

溸很快发现，由于御寒的需要，自己身上的羽毛越来越稠密，很快就覆盖了全身，尤其是在那两块S形宽大的软骨上，羽毛越长越长，层层叠叠，遮住了尾巴，就像披着一件五彩大氅。

第三十章　孤独的处境

天底下所有的生灵，都在翘首盼望太阳出来。

跟潆比起来，崆更离不开太阳。

犬齿甲龙与绝大多数恐龙一样，属于变温动物，也就是通常说的冷血动物。冷血动物的体温随着环境温度的升降而改变：当气温升高，它们的体温随之升高，血液流动澎湃，生命活力四射；当气温降低，它们的体温随之降低，血液冰冷凝滞，身体变得僵冷而麻木。

崆左等右等，还不见太阳出来。没有太阳，它就懒得动弹，静静地趴在银杏树下，像一块没有知觉的石头。它相信，太阳很快就会出来的。这个世界充满尔虞我诈，同类会欺骗它，天敌会欺骗它，猎物会欺骗它，但太阳从没欺骗过它。每天早晨，太阳就会从地平线上冉冉升起，晒热它僵冷的身体，给它的四肢注入活力。即使是在风雨交加的日子，太阳也会顽强地钻出云层，给大地带来一片光亮。太阳是它生命的依赖，太阳是它生存的保障。它不能没有太阳。崆也不知道等了多长时间，天仍然一团漆黑，找不到一丝光亮。

对崆来说，食物暂时还不是大问题，它在太阳失踪的前一天晚上，将与它交配的煜猎杀了，一顿没有吃完，煜的大半具尸体还在它身边躺着，饿了，它就爬过去啃几口。

现在最大的问题是身体僵冷麻木，没有阳光给它温暖，它感觉自己就是一具尸体，身体麻木，连脑袋也是麻木的，什么也不想干，什么也干不了。它体内的受精卵已经成熟，它原本打算天亮后在阳光的照耀下兴冲冲、喜滋滋地去黄金滩产卵，可现在，太阳失踪了，它的四肢如石头般僵冷，是不可能再爬到黄金滩去的。

崆现在能做的，唯有等待，苦苦等待，默默等待，孤独地等待，寂寞地等待。

崆又等了好几天，仍不见太阳出来。随着气温越来越低，它明显感觉到自己的身体在一点儿、一点儿地衰竭，心跳越来越衰弱，血流越来越缓慢。它明白，再这样下去，自已极有可能真的会变成一具冷冰冰的、毫无知觉的、僵硬的尸体。它不想死，它必须设法让自己的身体热起来。突然，它想起钦瑙伦河畔的月牙热泉。那是一个热雾氤氲的温泉，终年不断地冒着滚烫的泉水，把周围石头的表面都煮成了赤褐色。有几次，连续下了几天雨，崊感觉身体有点儿僵冷，就跑到月牙热泉，趴在被滚烫的泉水煮热的石头上，身体很快就被焐热了，四肢又充满了活力。月牙热泉就在银杏树林旁边，崊立刻动身前往。现在，它四肢僵硬，平时只需半小时的路程，它足足爬了两三个小时，这才到了目的地。

钦瑙伦河畔的月牙热泉旁，已经聚集了好几百只犬齿甲龙。虽然天黑得什么也看不见，但凭着灵敏的嗅觉，崊感觉到了众多同类的存在。毫无疑问，周围几百只犬齿甲龙都是和崊抱着同样的目的来到这里的，它们都想趴在热泉旁的石头上取暖，给僵冷的身体注入活力。

崊在钦瑙伦河畔转了好几圈，惊愕地发现，月牙热泉不见了！地方还是那个地方，石头还是那堆石头，却没有了滚烫的泉水和氤氲的热雾，也没有了浓烈、刺鼻的硫黄味。不过，如果把鼻子贴在月牙热泉旁冷冰冰的石头上嗅闻，倒是还能依稀闻到一股岁月沉淀下来的、淡淡的硫黄味。

崊当然不知道，在欧亚板块的碰撞中，地质发生突变，巨大的火山喷发改变了地心岩浆的流向，辽西地区的月牙热泉从此销声匿迹。

崆突然产生了一种巨大的恐惧，太阳失踪了，月牙热泉失踪了，再到哪里去找救命的热源啊？这时，崆感觉左侧脸上刮过一团热气，它不禁在黑暗中睁大眼睛凝望。哦，原来是一只犬齿甲龙无意间爬到它身边来了。它们距离很近，可是天太黑，它只能看到一张模糊的脸。它耸动鼻翼，仔细嗅闻，竟然闻到了一股熟悉的气味，哦，这是与它从同一个孵卵坑里孵化出来的岘。岘也是一只雌性，身长约四米。崆突然一阵激动，心跳也加速了，有了一种危难时刻巧遇手足同胞的惊喜。对崆来说，这是一种绝无仅有的新鲜体验。犬齿甲龙是一种以凶悍著称的恐龙，在它们的生存字典里没有“手足同胞”这个词，它们的情感世界里除了一点儿母爱，并无其他类型的亲情。从卵壳里钻出来后，它们就把别的犬齿甲龙，包括从同一个孵卵坑里孵化出来的手足同胞，视为自己潜在的竞争对手。可突然间，崆闻到岘的气味，就有了一种亲切的奇特感觉。太阳失踪了，月牙热泉消失了，黑暗和寒冷让崆感觉到一种从未有过的孤独和恐惧。它很高兴能在这里遇见岘，它现在才明白，从同一个孵化坑里孵化出来的手足同胞是多么亲切。在灾难面前，孤独的心需要互相慰藉，恐怖的情绪需要互相熨平。崆用柔和的声调嗷嗷叫了两声，以向岘表达自己的欣喜和激动。

岘在黑暗中使劲耸动鼻翼，进行气味识别。

崆张大嘴，朝岘脸上喷吐热气。崆这样做有两个用意：第一个用意是让岘从气味中认出自己是谁；第二个用意是让岘知道，虽然太阳失踪了，虽然月牙热泉也消失了，但我们可以彼此靠得更近，你给我点儿热气，我也给你点儿热气，你用你的体温温暖我，我也用我的体温温暖你，我们可以共同抵御这漫漫的长夜和彻骨的寒冷。

崆相信，假如所有的犬齿甲龙都能互相靠拢，都用体温温暖彼此，长夜和寒冷将不再可怕，整个种群也将在这场浩劫中得以存续。

来吧，让我们的身体靠得更近，让我们的心也贴得更紧。

崆吐出去的团团热气，准确地喷在岘的脸上，这是有效的气味名片，崆等待岘以同样的欣喜和热情回应自己。

岘静默了几秒钟。

突然，岘惊恐地低嚎一声，嗖地扭转身体，消失在浓浓的夜色中。

虽然天太黑了，崆看不清岘的表情，但它不难猜想，岘从气味中闻出是它后，感到惊骇恐惧，胆战心惊，就好像遇到了能一口咬断自己脖子的可怕天敌，于是头也不回地逃走了。

崆很伤感，却也无可奈何。

就在崞垂头丧气地准备离开时，它又感觉到一丝热气正在向自己靠近。哦，这也是从同类身上散发出来的热量。崞在黑暗中努力地瞪大眼睛望去，黑暗中似乎有四个白点在晃动。它想起来了，这肯定是那个长着四只白脚爪的、外号叫白袜子的雄性。崞的心里又有了希望，在这危难时刻，与白袜子相拥相守，也是一种不错的选择。两个僵冷的身体互相依偎，两颗孤寂的心互相安慰，你给我热量、我给你力量，在大灾难中互相搀扶着寻找生的希望！

崞用一只雌性犬齿甲龙所能发出的最悦耳动听的声音，向白袜子雄性亲切打招呼：

——是我啊，我是崞，你不该忘记我的，你曾经热烈地追求过我，可阴差阳错，我们是有情“人”未能成为眷属，但我时常惦记着你。你也知道，现在死亡的阴影笼罩在每一只犬齿甲龙的头上。来吧，到我身边来，我愿与你同舟共济，携手渡过难关！

然而，白袜子就像撞见了鬼似的怪叫一声，头也不回地爬走了。

——饶了我吧，你可千万别再惦记我了，我可不想成为煜第二，刚做新郎就做冤鬼，成为你果腹的食物！

对犬齿甲龙来说，它们四肢僵冷，身体僵冷，心更为僵冷。崞是打破了同类不相食这个禁忌的始作俑者，而任何打破禁忌的行为，都是要付出血的代价的。因为同类相食，种群内部失去了凝聚力，彼此间失去了最基本的信任，失去了共同抵御灾难的基础。

岘离去了，白袜子离去了，月牙热泉几百只犬齿甲龙也一只接一只地离去了，它们都是孤独地离去，孤独地走向死亡，孤独地走向灭绝。

崆孤独地回到银杏树林，黑暗和寒冷使它无法去别处觅食，它只能守着煜的尸体过日子，虽说尸体已经剩的不多了，但毕竟还能维持一段时日。它静静地趴在煜的尸体旁，也许是在等待死神的降临，也许是在等待太阳的升起。

一天又一天，死气沉沉的天空仍看不到任何光亮，气温也越降越低，河水结冰了。许多古鱼类都被寒冷夺去了生命。许多热带、亚热带植物，如桫椤、种子蕨、古棕榈、楔羊齿、本内苏铁，都相继枯萎了，唯有这片银杏树林却奇迹般地活了下来。银杏树与侏罗纪其他古植物最大的不同在于，银杏树分雌株和雄株，每一棵雌株银杏树旁，都挺立着一棵雄株银杏树，雌树和雄树根须相连，枝叶相缠，它们互相搀扶，相濡以沫，从这场导致众多生命毁灭的大灾难中挺了过来。

成千上万只犬齿甲龙也都像崆一样，孤独地趴在黑暗中，寒冷让它们丧失了活力，它们身体僵冷，四肢麻木，感觉迟钝，已失去了猎食能力，它们应对这漫漫长夜的唯一办法，就是闭着眼睛一动不动地静静地趴着，将新陈代谢的速度降至最低，进入类似于“冬眠”的状态，试图以降低新陈代谢的办法来度过地球生命史上这段最黑暗的时期。然而，它们并不具备长期“冬眠”的本领，黑暗与寒冷一天天持续，它们的心跳越来越缓慢，它们的呼吸也越来越微弱，终于一只接一只静悄悄地走上了不归路。

在遥远的黄金滩上，有成千上万只犬齿甲龙的孵卵坑，每只孵卵坑里都有五六十枚雌性犬齿甲龙产下的卵，这些卵是靠自然温度孵化的，只有在阳光温柔的抚摸下才会孵化出小恐龙。现在，太阳不见了，长时间的黑暗、长时间的寒冷让犬齿甲龙的卵也大批死亡。

这场史无前例的“侏罗纪大黑暗”，不仅对犬齿甲龙来说是一场浩劫，对庞大的恐龙家族来说，也是一场毁灭性的灾难。有巨无霸之称的梁龙、雷龙，不可一世的角龙、异龙，还有许许多多统治地球长达几千万年的恐龙，都是在这一时期，纷纷从生命舞台上谢幕的。

这确实是世界末日，对包括犬齿甲龙在内的所有恐龙来说。

然而，崆还活着。它的生命已非常微弱，心跳每分钟只有七八次，呼吸每分钟才一两次，它已经处于一种类似于

“假死”的状态。但崄的确还活着，这算得上是生命史上的奇迹。它是靠一种信念的支撑才活下来的。它肚子里的卵正在渐渐成熟，它还是头一次怀孕，就像天底下所有即将做母亲的雌性动物一样，它对肚子里的小宝宝抱有最美好的期望，它曾不止一次地这样想象：它到了草肥水美的黄金滩，挖了个最合适的孵卵坑，产下一大窝晶莹圆润的卵，在明媚阳光的照耀下，在它的祝福声中，这些卵全部变成了活蹦乱跳的小犬齿甲龙，它们个个活泼健硕，个个都长到五米长，叱咤风云，威震四海……小宝宝是它生命的延续，它若死了，一窝小宝宝就会烂在它肚子里。为了肚子里的小宝宝，它必须活着！这样一种强烈的想做母亲的信念支撑着它、鼓舞着它、维系着它的生命。

崄不晓得自己还能支撑多久，煜的尸体早已被它啃食干净了，黑暗与寒冷还在继续，也许还有一两天，也许还有一两个小时，它的生命就会衰竭，就会像千千万万的同类一样，静悄悄地走向死亡。

失去太阳的一百天，对冷血动物来说，漫长得就像一万年。

第三十一章　唯一幸存者

在太阳失踪后的第九十九天，天空中下了一场雨。不应该说是下雨，准确地说，是下了一场黏稠的泥浆。飘浮在天空中的厚厚的火山灰，化成一场泥浆雨降落下来。这场罕见的泥浆雨下了好几个小时，以至于地面上积起了厚达半米的淤泥。

黎明时分，泥浆雨停了，天空碧蓝如洗，天边出现了一道玫瑰色的云霞。

濛睡在半球形窝巢的门洞处，第一个发现天亮了，于是激动地大声叫着：

——嘎嘎，快来看哪，云破天开，太阳就要出来啦！

——叽叽，太阳出来啦！

——叽叽，太阳就要出来啦！

——喳喳，太阳真的就要出来啦！

泓、塬和洳睁开惺忪的睡眼，跟着潆爬到了一根树枝上，一家四口惊喜地叫嚷着。

左邻右舍纷纷涌出窝巢，面向东方。一轮红日从东方地平线上冉冉升起。久违了，太阳；久违了，光明；久违了，温暖。嘎嘎、喳喳、叽叽，各种叫声此起彼伏，银杏树林里一片欢腾。

一亿多年以后，人类科学家曾经探讨过这样一些问题：为什么天底下几乎所有的鸟类都有晨鸣的习惯？为什么当太阳出来时，鸟儿特别活跃？为什么在每个早晨，都能见到公鸡司晨、喜鹊登枝、黄鹂婉转、百灵咏叹？为什么几乎所有的鸟类都要在清晨向着太阳，一展歌喉，纵情歌唱？有人解释说，鸟儿睡了一夜，早晨醒来，精神抖擞，所以鸣叫得特别起劲；有人解释说，早晨空气好，鸟儿鸣叫，是在呼吸新鲜空气；有人解释说，鸟儿晨鸣，就像京剧演员吊嗓子一样，是一种晨练；也有人解释说，这是生物钟使然，太阳出来时，鸟儿体内的生物钟指向兴奋、指向鸣唱……其实，追根究底，鸟儿晨鸣的起因就是这场发生在一亿多年前的“侏罗纪大黑暗”。在由爬行动物向鸟类进化的关键点上，它们遭遇了欧亚板块相碰撞所引发的地质突变，经历了一百天暗无天日的生活，它们在黑暗中挣扎，它们与黑暗抗争，终于重新见到了冉冉升起的太阳。经历过“侏罗纪大黑暗”后，它们更崇拜太阳，更珍惜灿烂的阳光，它们欢呼雀跃，纵情歌唱，庆贺太阳的新生，也庆贺自己的新生。灾难过去了，但清晨向着太阳鸣叫的习惯却代代相传，保留至今。这既是虔诚的祈祷——祈祷黑夜过去，祈祷太阳升起，也是对太阳的顶礼膜拜，用歌声赞美给大地带来光明、温暖和勃勃生机的太阳。

太阳升起来了，明丽的阳光照耀大地，给劫后余生的生灵带来生的希望。

潆望着泓、塬和洳。三个月来，它还是第一次在阳光下端详三个孩子，与一百天前相比，孩子们的模样改变了不少，个头差不多与它一般大了，身体更瘦削轻盈，身上的羽毛也更浓密厚实。

——走吧，我的孩子们，妈妈带你们去找斑点蠕虫吃。

泓、塬和洳欢天喜地跟着潆爬向树冠。

天天吃白果，顿顿吃白果，早就吃腻啦，该换换口味啦！

一场铺天盖地的泥浆雨，使地面上渐渐积起了一层淤泥。泥浆雨越下越大，很快，崆的整个身体都被埋在淤泥里，只露出了眼睛、鼻子和嘴巴，艰难地呼吸着。崆的生命已虚弱到了极限，它已经无力从淤泥里爬出来了。假如泥浆雨继续下，要不了多长时间，崆就会被越积越高的淤泥活埋。

大限将至，崆已彻底绝望了。

幸运的是，当淤泥淹到崆的下巴时，泥浆雨停了。

崆就这样泡在淤泥里，既无力自拔，也无力自救，心跳越来越缓慢，呼吸也越来越微弱，昏昏沉沉，生命正一点儿一点儿走向衰竭。

也不知昏睡了多长时间，崆突然感觉冰凉的眼皮暖呼呼的，似有一股暖流从眼皮灌入心田。它睁开眼，惊讶地发现，黑暗过去了，太阳出来了！温暖的阳光正洒在它的脸上。刹那间，它的生命意识被激活了。它熬过了可怕的“侏罗纪大黑暗”，它活下来了！它张大嘴，贪婪地吞噬着清香、甘甜、醇厚、鲜美的阳光。此时此刻，在崆的眼里，阳光是世界上最可口最好吃的东西，它恨不得能将高挂在空中的太阳一口吞进肚去，让自己体内的生命之火熊熊燃烧，重获澎湃的激情和无尽的活力。

阳光确实具有起死回生的魔力。渐渐地，崆感觉自己的四肢有了点儿力气，能缓慢爬行了，但满地都是淤泥，就像是一片一望无垠的沼泽，它只能爬到一棵离它最近的银杏树旁，在向阳的一面，用前肢抓住树干，后肢支撑在地，把身体慢慢直立起来，趴在树干上沐浴久违的阳光。

在“侏罗纪大黑暗”之后，崆是世界上最后一只侥幸存活下来的犬齿甲龙。

整整一个上午，崆就这样一动不动地趴在树干上晒太阳。

阳光透过它的皮肤，融入它的血液，冰冷的血开始流动，心脏加速跳动，僵冷的身体慢慢回暖，麻木的心灵也渐渐苏醒。突然间，它感觉自己的腹部剧烈地抽搐了一下，它的母性意识开始活跃起来。它想起来了，自己肚子里正孕育着一窝卵，从时间上推算，这些卵早就应该产在孵卵坑里了。崆的腹部继续剧烈地抽搐，那是产卵的前兆。瓜熟蒂落，对卵生动物来说，就是卵熟胎落，肚子里的卵成熟了，就一定要产下来，不然就会死在腹中。崆想，自己应该立即动身前往黄金滩。可是，黄金滩路途遥远，而且现在满地淤泥，它腹中空空，怎么有力气在沼泽般的淤泥里爬行啊？想到腹中空空，崆突然有了一种强烈的饥饿感。煜的尸体早就被它啃得干干净净了，除了几根无法咬断的白骨，连一丝腐肉都没有了。它起码已有半个月没吃任何东西了。原先它处于一种类似于“冬眠”的假死状态，新陈代谢降至最低，所有的感官都处于麻木状态，所以它感觉不到饿，现在它醒过来了，温暖的阳光让它恢复了知觉，它体内的新陈代谢加快，饥饿的感觉便像潮水似的汹涌而来。阳光很温暖，但阳光毕竟不能当饭吃，要想维持生命，当务之急，就是要找到果腹的食物。可它现在这副模样，要想捕捉猎物，那是白日做梦。不错，在这场“侏罗纪大黑暗”中，肯定会有成千上万只动物因饥寒而倒毙在荒野中，所以去捡食腐尸也是不错的选择，可是，厚达半米的淤泥将林林总总、大大小小的尸体全掩盖了，它要到哪里去找寻腐尸？

食物在哪里？救命的食物在哪里？

就在这时，叽叽——头顶上传来了一声清脆的鸣叫，崆抬头望去，看见银杏树的树冠上，有几只背部和肩胛覆盖着一层五彩羽毛的奇特小动物正在寻找和啄食树皮下的斑点蠕虫。崆想起来了，它曾经捡到过一只长着五彩羽毛的小动物，虽然那个小动物身上的肉不多，但滋味倒挺鲜美的。一、二、三、四，它数了一下，这棵银杏树上共有四只这样的小动物，够它美美地享用一顿了。

崆死死盯着树冠上那四只小动物，口水都忍不住从它的嘴角流了出来。

需要交代的是，崆直立趴伏的树干，就是澿一家子居住的银杏树，崆所看到的四只长着五彩羽毛的小动物，就是澿和它的三个孩子。

崆搂抱着树干，试探着往上爬。它会爬树，用尖利的指爪抠紧粗糙的树皮，身体用力往上蹭，就能爬上树去。但此时，它的身体太虚弱了，才爬了几步，就气喘吁吁，累得快虚脱了。它休息了一会儿，稳住神，继续一点儿一点儿地往上挪。它急欲找到能充饥的食物，填饱肚子，好有力气去黄金滩产卵。它心里明白，抓到树冠上这四只小动物，是目前它能活下去的唯一办法，也是它能顺利产下肚子里的卵的唯一希望。它咬紧牙关往上攀爬。爬到树腰时，它已筋疲力尽了。它必须拯救肚子里的孩子，靠着这样一种坚强的信念，它拼出最后一把力气，努力地向树冠攀爬。

崆所有的力气都耗尽了，不，应该说崆把所有的生命都差不多耗尽了。它明白，自己或许能登上高高的树冠，但假如不能捕获并吞食这四只小动物，它是绝不可能再有力气活着从树上爬下去的。它这是在赌博，这是一场用生命做赌注的赌博。它别无选择，只有拿出勇气来与命运赌一把。

太阳当顶时，崆终于成功地登上了高高的树冠。

崆顺着一根横枝，慢慢地向那四只小动物逼近。

经历了漫长的“侏罗纪大黑暗”，崆已经瘦得皮包骨头，体重差不多减轻了一半，身体比过去轻盈多了，这也是它能够登上高高树冠并在枝丫间爬行的重要原因。

崆还有一个连它自己也不知道的优势，它是从半米厚的淤泥里钻出来的，身上涂了一层泥浆，而昨夜那一场罕见的泥浆雨，也给银杏树涂上了一层泥浆，这样一来，崆就好像穿了一件迷彩服，它身上的颜色和树的颜色融为一体，所以等崆爬到离潆一家子仅几米远的位置时，潆一家子居然还浑然不知。

对崆来说，可口的食物近在咫尺，幸福似乎唾手可得。

第三十二章　最后的结局

血光之灾就要降临到潆一家的头上了。

潆做梦也没想到，刚刚度过艰难的“侏罗纪大黑暗”，失踪一百天的太阳刚刚重升天穹，严峻的生存危机就会接踵而至。

潆后悔自己过于兴奋了。熬过了漫长的“侏罗纪大黑暗”，一家子劫后余生，大难不死，潆很兴奋，孩子们也很兴奋，它们兴奋得忘乎所以，有些得意忘形，结果一不留神，让这只凶残、狠毒的犬齿甲龙钻了空子。

潆后悔自己不该如此贪心，吃了十多条斑点蠕虫，还嫌不够，还要钻进茂密的叶丛，钻头觅缝地寻找躲藏在树皮褶皱里的斑点蠕虫，结果丧失了应有的警觉，忘了应该随时注意四周有无异常动静……

让潆后悔的事情太多太多了，弱小的生命，总是有吃不完的后悔药。

这只狡猾的犬齿甲龙伪装得十分巧妙，身上涂了一层黑色泥浆，与落了一层泥浆雨的枝叶的颜色十分相近。直到这只犬齿甲龙那张长满尖利牙齿的大嘴从树叶下冒出来，赫然出现在潆的面前时，潆这才发现危险。更要命的是，犬齿甲龙占据了树冠那根碗口粗的主干，这就等于封锁了潆一家从现在的雄株银杏树逃往旁边的雌株银杏树的路。

潆是母亲，大难临头，它理所当然地用自己的身体挡住了三个孩子。它一面朝犬齿甲龙虚张声势地嗷嗷叫着，一面剧烈地摇晃身体，示意小家伙们赶快逃命。三个小家伙不但没有四散而逃，反而挤成一团，紧紧地贴在它的身后。就像有根无形的绳索，将潆和它的三个孩子捆扎在一起。

这情景似曾相识。潆想起来了，四个月前，居住在旁边雌株银杏树上的邻居汀一家，在遭到一只黑臀科摩盗龙捕杀时，母亲和一双儿女贴在一起，舍不得各自逃命，也不晓得该各自逃命，结果一家子就像捆扎好的一串甜点心一样被黑臀科摩盗龙吞吃了，这悲惨的场景给潆留下了极其深刻的印象。

现在的情景，简直就是汀一家子遇难前的翻版。唯一的差别是，当时吃掉邻居汀一家的是一只趾高气扬的黑臀科摩盗龙，而现在想要吃掉它和它的三个孩子的是一只骨瘦如柴、身上涂了一层泥浆的犬齿甲龙。科摩盗龙和犬齿甲龙都是侏罗纪大林莽的顶级杀手，相比之下，犬齿甲龙比科摩盗龙更凶悍、更残忍、更霸道。

潆痛悔莫及，它早就预感到会有这么一天的，它早就预感到汀一家的悲剧会在自己的家中重演。曾经有段时间，它使用各种办法想要消除母子之间那种黏黏糊糊、腻腻歪歪的亲情，想要割断那条把母与子捆扎成串的无形绳索，假如它能坚持不懈地按既定方针重塑孩子们的性格，假如不是因为可恶的角鼻龙破坏了它的计划，此时此刻，三个小家伙早就各自夺路逃命了。

贪婪饥饿的犬齿甲龙瞪着眼，张开大嘴，恶狠狠地朝潆咬来。

潆无比愤慨，又无比内疚。它恨犬齿甲龙的霸道，更恨自己的严重失误。当初，它如果痛痛快快地让角鼻龙把自己吃掉，而不是在被角鼻龙咬住后发出惨叫，使得孩子们赶过来救它，那它们这个物种在性格上的缺陷就不会在孩子们的身上死灰复燃了。现在，那根会把母子捆扎成串的无形绳索不仅没被割断，反而比过去更坚韧、更牢实了，它无法让三个小宝贝弃它而去，母子四个肯定又是送到犬齿甲龙嘴边的一串甜点心。是它害了自己的孩子，是它葬送了它们的锦绣前程。它不是个好母亲。唉，现在后悔也晚了。

不知什么原因，这只犬齿甲龙眼睛里凶光毕露，但噬咬动作却显得有些迟缓。潆猛缩脖颈，犬齿甲龙扑了个空。

犬齿甲龙勾起脖子，重新张开血盆大口，准备对潆再次噬咬。

潆不是怕死，它早就把生死置之度外了；它也不是幻想能侥幸脱身，遇上像犬齿甲龙这样穷凶极恶的庞然大物，是绝无生还的可能的。它是不甘心身后的三个小宝贝陪着自己一起死。它希望能想出一个以自己的死来换取孩子们生的办法来。哪怕只有一个孩子能逃出魔掌，也是好的。而它如果被犬齿甲龙咬住，那么它们免不了落个与汀一家子同样的结局，孩子们也会一个接一个地被吞食干净。现在的关键就是要把母子四个分散开，要把犬齿甲龙的注意力从孩子们身上转移开。突然，它急中生智，想出一个主意来：犬齿甲龙不是盯着它咬吗，如果它从树上掉下去，也许犬齿甲龙就会跟着到树下来吃它，而它从树上失踪了，孩子们也许就会分散逃命。犬齿甲龙下树来吃了它，再攀爬到树上去找小家伙们，肯定要耽误一段时间，这样，或许小家伙们就可以趁机逃掉了。

这当然不算是最好的办法，还有不少的漏洞，最大的漏洞就是：小家伙们在它从树上掉下去后，也许不会趁机逃命。对这一点，它心里没有任何把握。万一当它掉下树后，三个小家伙仍傻乎乎地在原地挤成一团，那它就前功尽弃了。但不管怎么说，这总比在树枝上被一个接一个地吃掉要好，起码，孩子们分散开逃命的可能性是存在的，只要有这种可能性，它就值得一试！它已没有时间去想更好的办法了。

它心里很清楚，自己从这么高的树上掉下去，肯定会像当初那只角鼻龙一样摔得血肉模糊，但它不怕，只要能给心爱的小宝贝带来一线生机，它就是粉身碎骨也心甘！

犬齿甲龙又张嘴朝它咬来了，它猛地一蹬，借着树枝的反弹力，跳到犬齿甲龙的头上，抓咬了一下；以潆的力量，用抓咬的方法来对付犬齿甲龙，就如同给它搔痒，起不了大的作用。不过，它的目的也不是要给犬齿甲龙什么打击，而是要吸引犬齿甲龙的视线。

它的爪子离开了树枝，它的身体腾空了，并开始往下掉落，这时，它才想起自己在慌乱中遗忘了一个十分重要的细节：犬齿甲龙与梁龙、雷龙和异龙一样，感觉较迟钝，对外界的变化要过十秒钟才会有所反应。也就是说，它从树上往下掉，这过程要延长到十秒钟，犬齿甲龙的注意力才会跟着它从树上转移到树下去。它就这样往下掉，须臾之间就落地了，而犬齿甲龙根本还弄不清是怎么回事呢！这十秒钟之内，犬齿甲龙还是会按事情变化前的意识行动，朝前噬咬，不过，它当然咬不到潆，却会咬到三个小宝贝。这就是说，它想舍身引开犬齿甲龙，给孩子们创造一线生机，结果却适得其反，把孩子们更快地推上了绝路。

这也实在太不划算了！

不不，它不能白白送死，它无论如何也要争取到这宝贵的十秒钟。它的爪子已脱离树枝了，要想返回去重新抓住树枝，是不可能的了。它也没有什么特异功能，能使个定身法，把自己定在空中。于是，它本能地撑开肩胛处那两块宽大、薄脆的骨骼，拼命扇动，试图以此来延缓自己往下掉的速度。

十秒钟，十秒钟，它愿意用整个生命来换取这十秒钟。

它把全部意念、生命和力量都集中到这两片薄脆的骨骼上，用极高的频率努力上下扇动它们，就算会折断骨头，它也在所不惜！突然，它感觉到自己的身体发生了奇妙的变化，身体不再是沉甸甸像块石头似的往下坠，而是变得十分轻盈，就像片树叶似的被风托住了。它发觉，那些长在两片薄脆的骨骼上的层层叠叠的、五颜六色的羽毛，由于风的作用，向上鼓起，形成一个拱形，从而就产生了一股向上的托力，使自己在空中比在树上更平稳。它还发觉，自己每摇动一下肩胛，身体下方便会生出一股风，推着它向前，而当一股强气流吹来时，它只需轻轻摆动一下尾巴，身体便会灵巧地调转方向，这也比自己在树上要灵活、敏捷。

潆自己当然不知道，它的这一举动，其实是一个划时代的创举，标志着一个崭新的物种在蔚蓝色的地球上诞生了。一亿多年以后，人类的考古学家在中国辽西这片神奇的土地上挖掘出早已变成化石的潆，把它命名为“中国始祖鸟”。始祖鸟，顾名思义，指的就是鸟的祖先。

从此，天空上不再只有呆板的云和枯黄的叶，还有了美丽可爱的鸟。

当时，潆只是觉得惊奇，它做梦也没想到，这两块自己一向十分讨厌的长在肩胛处的宽大而薄脆的骨骼，竟然有这么神奇的功能，能让它在空中飞翔。这不是生理上的退化和畸形，而是一种进化，从此它有了一个崭新的器官——翼！

十秒钟过去了，潆不仅没掉下去，还在空中升高了。犬齿甲龙呆呆地望着在空中盘旋的潆，不明白是怎么回事。又过了十秒钟，这愚蠢的家伙终于反应过来它已不可能再咬着潆了，于是就把贪婪的眼光投向了泓、塬和洳。

潆也从惊喜中回过神来，朝还在树枝上缩成一团的泓、塬和洳急切地鸣叫：

——来吧，我的小宝贝，展开你们的双翼，飞起来吧。

——你们身上五彩缤纷的毛，是太阳用七彩光斑编织的羽翼，能带着你们在天空中翱翔。

——来吧，小宝贝，投进妈妈的怀抱。

潆相信泓、塬和洳一定能朝自己飞过来的，它和小宝贝之间有一根坚韧的、无形的绳索，这是任何力量也无法割断的。

它在银杏树前盘旋、鸣叫，召唤着，鼓励着，催促着。

直到今天，一亿多年过去了，大自然已经演化出千姿百态、各种各样的鸟，它们各有不同的生活习性，但无论什么鸟，都有一个共同点，那就是：在小鸟第一次飞翔时，鸟妈妈都要在窝前盘旋、鸣叫。这不是简单的示范，而是心与心的牵引，情与情的黏合。鸟妈妈的亲情，给小鸟稚嫩的双翼灌注了永不衰败的力量。

洳率先扇动着翅膀跃入天空，紧接着，泓和塬也腾飞起来了。愚钝的犬齿甲龙朝小家伙们的影子咬去，只咬到了一团空气。

潆的一家平安脱险了，它们在天空中自由地飞翔。飞翔是一种高级的技巧，而且会给它们带来巨大的回报。靠飞翔来逃离猎食者要比靠奔跑更容易，而且在高空中寻找食物也要比在地面上寻找食物容易得多。

潆的一家是辽西大地上孔子鸟的祖先，也是广袤的天空中五彩缤纷的现代鸟类的祖先。

崆的力气已经耗尽，生命也已经耗尽。它明白，自己在这场用生命做赌注的赌局中彻底输了。它绝望了，生存意志彻底崩溃，一长串的卵从它的生殖腔内喷涌而出，从高高的树梢摔落下去。随后，它的身体也剧烈地摇晃了几下，它再也支撑不住了，一头从银杏树上栽落下来，气绝身亡。

侏罗纪庞大恐龙家族的一代枭雄，辽西大地上叱咤风云的一代霸主，就此陨灭。

恐龙的动物名片

亲爱的小读者，你知道哪些种类的恐龙呢？你是不是认为恐龙一定是个庞然大物，张着血盆大口、一副张牙舞爪的可怕模样？如果是这样的话，你可真得仔细读读下面的恐龙动物名片啦。

我生活在很久很久以前

恐龙是指生活在距今大约2亿3500万年至6500万年前的一类爬行类动物，它们支配全球生态系统达1亿6000多万年。一般认为真正意义上的恐龙现在已经全部灭绝，今天人们看到的都是中生代时期恐龙的化石。

我的家族很庞大

恐龙的种类多达上千种，现在发现的恐龙化石的数量大约是曾存在过的恐龙种类的四分之一。科学家把恐龙分为蜥臀目和鸟臀目。蜥臀目下的代表恐龙有霸王龙、恐爪龙、跃龙、梁龙、雷龙、马门溪龙等；鸟臀目下的代表恐龙有鸭嘴龙、角龙、鹦鹉嘴龙、剑龙等。

我的家族成员长相各异

古生物学家们通过对恐龙化石的研究，推测出了恐龙的形态及习性。根据他们的研究，恐龙种群中的个体有大的，有小的；有的用两条腿走路，有的用四条腿走路；有的吃荤，有的吃素，有的则是杂食性，荤素皆可；有的皮肤光滑，有的皮肤上有鳞或骨，有的头上有角或头盾，还有的尾部有长刺。

我们的生活习惯各不相同

恐龙可以分为食草恐龙、食肉恐龙和杂食性恐龙。食草恐龙包括腕龙、梁龙和雷龙等，它们大部分生活在靠近水源的森林里，这样方便饮水和取食；食肉恐龙大都居无定所，比如说暴龙，它们有时住在山林中的洞穴里，有时住在浓密的丛林中；杂食性恐龙通常都是零零散散地分布在极深的山谷和阴密的树林中，只有在迁移或远行时才会聚在一起。

我们的捕猎本领各有千秋

食肉恐龙有着高超的捕猎本领。以小型食肉恐龙为例，它们通常过着群居生活，采用群体觅食的方式。发现猎物后，它们通常会伺机靠近，然后群起而攻之。大型食肉恐龙则是单独捕猎，凭借强大的身体力量杀死动物。

我们家族中的明星

还记得大导演斯皮尔伯格拍摄的经典电影《侏罗纪公园》吗？那里面出现的各种恐龙给观众们留下了非常震撼的印象。那么恐龙家族中的明星都有谁呢？

剑龙

剑龙最明显的标志就是背上的一排巨大的骨质板和尾巴上的四根尖刺，这些可以用来防御掠食者的攻击。剑龙的身体特别大，可是脑袋却非常小。它们用四足行走，前肢短，后肢较长，整个身体就像一座拱起的小山。

暴龙

暴龙又名霸王龙，是已知的最著名的食肉恐龙之一，可能是世界上已知的最强的肉食动物。它身长约13米，肩高5米，平均体重约为9吨。它长着一个大脑袋，嘴里一共有60颗锋利的牙齿。它用两条腿行走，奔跑速度也很快。

翼龙

翼龙是第一种会飞行的脊椎动物，它们的翼是由皮肤、肌肉与其他软组织构成的膜。翼龙也分为很多种，体型差异较大，体型较小的如森林翼龙，双翼展开仅有25厘米，大致相当于一只燕子或麻雀的大小；体型较大的如风神翼龙，双翼展开可达11~15米。

我从地球上消失的原因

中生代时期最繁盛的物种应该就是恐龙了，可这样一个曾统治地球达1.6亿年之久的庞大动物种群在白垩纪末期却突然覆灭了，这可是生物史上令人费解的一章。科学家们对恐龙灭绝的原因也有着各种猜测：

小行星撞击

曾有科学家认为恐龙的灭绝和6500万年前的一颗大陨星有关。研究表明，当时曾有一颗直径约为10公里的小行星撞击地球，随后引发了强烈的海啸和火山喷发。一时间整个地球

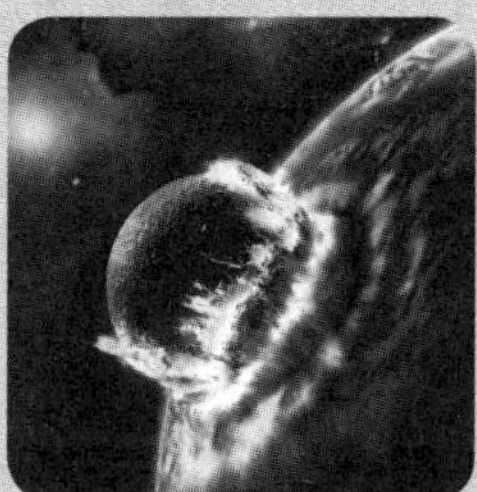

暗无天日，气温骤降，大雨滂沱，山洪暴发，这场巨大的天灾将恐龙推向了灭绝。

气候变化

由于当时板块移动，使得海流发生改变，进而引起气候的巨大改变。严寒而干燥的气候使植物大批死亡，恐龙也由于缺乏食物而走向了灭亡。

造山运动

白垩纪末期发生的造山运动使得沼泽干涸，许多以沼泽为家的恐龙就无法再生活下去了。因为气候变化，植物也改变了，食草性的恐龙不能适应新的食物，进而相继灭绝。食草性恐龙的灭绝使肉食性恐龙失去了食源，所以也慢慢也跟着灭绝了。

当然，除了以上三种猜测，还有很多其他关于恐龙灭绝的理论，恐龙灭绝的原因并没有定论，还有待人们的进一步研究。

关爱动物，让地球更美好

我要用我手中的笔，呼唤人类对动物休眠的良知，呼唤人与自然和谐相处，呼唤我们这颗蔚蓝色的地球更加绿意葱茏。

——沈石溪

长期以来，人类有一种根深蒂固的偏见，总以万物之主自居，总认为自己是高等生灵，是天地间的主宰，动物都是低等生灵，是任人摆布的畜生。人类这种无视动物福利、无视生命尊严的行为，直接造成的恶果是环境持续恶化，生态系统遭到破坏，许多野生动物濒临灭绝，美丽的地球变得千疮百孔。更为严峻的是，对另类生灵的蹂躏和践踏，释放了人心中的恶，继而漠视、藐视和蔑视同类的生命，制造种种惨绝人寰的悲剧。

其实，动物并非人类想象的那么低能蠢笨，它们的感情世界也并不比人类逊色。动物和我们人类一样，也是有血有肉、有爱有憎、有家庭亲情、会制造工具、有喜怒哀乐的生命。

有时，只要用心去观察，不难发现，在情感世界，在生死抉择的关头，许多动物表现出来的忠贞和勇敢，常常令我们人类汗颜，让我们自愧弗如。

爱是生命进化的能量。我们应当敬畏生命，尊重另类生灵，与它们进行真诚的感情交流与心灵互渗，用博爱的心怀去关爱动物，关爱周围的一切生命，让地球因为有我们付出的一份爱而变得更加美好。

小读者们，想不想和大家分享你或你的朋友们关爱小动物的故事呢？那就快快投稿吧！我们会评选出“爱心小天使”，还有神秘奖品赠送哟！

请投稿到以下信箱：wxtg@childrenfun.com.cn。作品中要包含：①你的故事；②你的姓名；③你的联系地址、邮政编码、联系电话。

还犹豫什么，快快动笔吧！

沈石溪作品获奖记录

- **《第七条猎狗》**（短篇小说）中国作家协会首届全国优秀儿童文学奖
- **《退役军犬黄狐》**（短篇小说） 第六届陈伯吹儿童文学奖
- **《狼王梦》**（长篇小说）中国台湾第四届杨唤儿童文学奖
- **《一只猎雕的遭遇》**（长篇小说）
  中国作家协会第二届全国优秀儿童文学奖
- **《狼王梦》**（长篇小说） 第二届全国少年儿童优秀图书一等奖
- **《天命》**（短篇小说）1992年海峡两岸少年小说、童话征文佳作奖
- **《象母怨》**（中篇小说） 首届冰心儿童文学新作奖大奖
- **《残狼灰满》**（中篇小说）首届“巨人”中长篇奖
- **《沈石溪动物小说自选集》**（中短篇小说集）第三届冰心儿童图书奖
- **《红奶羊》**（中篇小说集）中国作家协会第三届全国优秀儿童文学奖
- **《狼王梦》**（长篇小说）**《第七条猎狗》**（中短篇小说集）
  中国台湾1994年“好书大家读”优选少年儿童读物奖
- **《第七条猎狗》**（短篇小说集）中国台湾《中国时报》1994年度十佳童书奖
- **《保姆蟒》**（短篇小说集）1996年中国台湾金鼎奖优良儿童图书推荐奖

- **《狼妻》**（短篇小说集）
  中国台湾1997年“好书大家读”年度最佳少年儿童读物奖
- **《宝牙母象》**（中篇小说）第十一届中国图书奖
- **《牧羊豹》**（短篇小说集）
  中国台湾2000年“好书大家读”年度最佳少年儿童读物奖
- **《刀疤豺母》**（长篇小说）第十三届中国图书奖
- **《藏獒渡魂》**（短篇小说）第十九届陈伯吹儿童文学奖
- **《鸟奴》**（长篇小说）中国作家协会第六届全国优秀儿童文学奖
- **《藏獒渡魂》**（中短篇小说集）2006年冰心儿童图书奖
- **《斑羚飞渡》**（短篇小说集）
  国家新闻出版总署2007年向青少年推荐百部优秀图书
- **《狼王梦全本》**（长篇小说）**《狼世界》**（中短篇小说集）
  国家新闻出版总署2008年向青少年推荐百部优秀图书
- **《红豺》**（长篇小说）
  国家新闻出版总署2011年向青少年推荐百种优秀图书
- **《红豺》**（长篇小说）第三届“三个一百”原创图书出版工程奖

沈石溪作品入选中小学教材篇目

- **《最后一头战象》**

  人民教育出版社全国小学语文教材六年级上册
- 香港生本教育语文教材第十册
- **《斑羚飞渡》**

  人民教育出版社全国初中语文教材七年级下册

  江苏人民教育出版社小学语文教材四年级下册

  辽宁人民出版社高中二年级课外语文
- **《猎狐》** 湖北教育出版社初中语文教材七年级上册
- **《帮大象拔刺》《保姆蟒》《残疾豹》《太阳鸟和眼镜王蛇》《会做生意的狐狸》**

  山东教育出版社新课程小学语文读本六年级上册
- **《第七条猎狗》**

  山东教育出版社初中语文课外阅读七年级上册
- 辽宁教育出版社、语文出版社中小学生语文素养文库 初中卷

  《脸色苍白的伙伴》 人民教育出版社初中语文自读课本第二册
- **《暮色》** 浙江人民美术出版社未来教育教材中国儿童阅读文库